［カーボンニュートラル］

# 水素社会入門

Nishimiya Nobuyuki
西宮伸幸

JN018585

KAWADE夢新書

# 水素がもつ革命的ポテンシャルとは――まえがき

いま世界では、各国が脱炭素にむけて数値目標を掲げています。日本でも、東京五輪開幕目前の7月21日、経済産業省の「エネルギー基本計画」の素案として、2030年の電源構成が発表されました。ニュース番組でも報道されたので、ご覧になった方もいるでしょう。

「エネルギー基本計画」は、わが国のエネルギー政策の中長期方針を示すもので、2003年に初めて策定されて以来、おおむね3年に1度のペースで改定されています。今回は、2020年秋に菅総理（当時）が「2050年までに温室効果ガスの排出をゼロにする」と宣言して以来、初めての改定ということになります。

それによれば、2019年度実績で76％を占める火力発電（石油、石炭、天然ガス）を41％に削減。一方、同じく実績値6％の原子力は20～22％に、18％の再生可能エネルギー（太陽光、風力など）は36～38％に引き上げ。つまり、脱炭素＝カーボンニュートラルを大きく推進していくという政府の方針を示した数字になっています。

実はそのなかで、もうひとつ、注目すべき数字がありました。今回の改定で初めて「水素・アンモニア1％」が計上されたということです。

計上されたといってもわずか1％、それで「水素社会」を語るのは早計ではないか、と思う方もいるでしょう。

たしかにいまの世の中、政策レベルでも市民レベルでも脱炭素の意識が高まってはいるものの、化石燃料の代わりとして期待されるのは太陽光や風力などの再生可能エネルギー、ガソリン車を買い替えるなら電気自動車（EV）、ただし当面はハイブリッド、というのが一般的な認識。水素は「$CO_2$を排出しないクリーンなエネルギー」ではあるけれど、これからは「水素社会」だ、といえるほどの〝逸材〟といえるのかどうか。そう思っている方もいるのではないでしょうか。

実は、水素こそ、これからの脱炭素＝カーボンニュートラルを実現していくうえで、重要なプレーヤーであることは間違いありません。

わずか1％、ですがほんとうは、1％ではない。$CO_2$を排出しないエネルギー、ですがそれだけではない。水素にはまだまだ社会を変える可能性があるのです。

本書では、太陽光や風力、水素発電の他、さまざまな形で生産されたエネルギーを、水素に変換して流通させることのメリットをわかりやすく説明しました。従来、電力は送電線で送るのが常識ですが、水素に変換して送ることに大きな意義があるのです。さまざまな価値が「貨幣」に形を変えて交換・流通するのに似て、エネルギーにおいては「水素」があたかも貨幣のような役割を担えると考えます。

現在、水素エネルギーに関する実証実験が国内各地でおこなわれています。EUを中心に、世界でもさまざまな取り組みが進行しています。

「水素社会」にむけて、世界はゆっくりと動きだしている、といっていいでしょう。少なくともその技術的基盤は整っています。ですから、私は２０３０年には「水素社会」を実現することができる、と信じています。

とはいえ、水素をどうやって自動車をはじめとする船舶や飛行機の動力源に利用するのか？

水素を使ってどのように発電するのか？

水素をいかにして製造し、貯蔵、運搬するのか？

「水素社会」とはどんな仕組みの社会なのか？

――など、あまり深く知られていないのが現状です。本書では、そうした疑問に答えながら、水素がもつ革命的なポテンシャルをわかりやすく解説していきます。

なお、カギカッコをつけた「水素社会」という表記には、それなりの定義に基づく存在、個々に特徴をもった存在という固有名詞的な意味が込められており、一般名詞として水素社会といえるほどには世の中に浸透していない、という気持ちが含まれています。

水素エネルギーのいまを知り、「水素社会」の見取り図を前に、未来のエネルギー事情について明るい展望を抱く、本書がその一助となれば幸いです。

西宮伸幸

# 1章 「水素社会」の革命的な仕組みとは

## 2章 日本の問題解決を担う水素エネルギー研究



## 3章 いかにして水素を〝つくる〟のか

## 4章 水素を〝貯める・運ぶ〟ための最新技術

## 5章　社会や暮らしはどう変わるのか



## 6章　水素エネルギーのメリットと課題とは

# 7章 世界の水素利用はどこまで進んだか

# 終章　2030年、エネルギー革命への道



装幀◉こやまたかこ

# 1章 「水素社会」の革命的な仕組みとは

## なぜ「水素社会」という言葉が注目されるのか?

「水素社会」といきなりいわれてもピンとこない。そう感じている読者も多いのではないでしょうか。「水素社会って、どういうことですか?」と聞かれると、わたし自身、「一言で定義するのはなかなか難しいですね」などと前置きをしながら、まずは、水素社会が注目されるようになった経緯からお話しすることにしています。

そもそも「水素社会」という言葉が注目を集めるようになったのは、最近のことです。

2014年末、トヨタから純水素燃料電池車「MIRAI」が発売されました。

その頃、すでに電気で走るEVやハイブリッド車は、市中でも珍しくありませんでした

水素ステーションに停車するトヨタのMIRAI（©岩谷産業株式会社）

が、水素で走るクルマというのは、それだけで新鮮な感じがしたのか、メディアも大きく取り上げたりしたものです。〝$CO_2$を排出しないクリーンエネルギー〟として水素が注目を集め、２０１５年は「水素元年」などといわれるようになりました。

その後も、ＭＩＲＡＩ登場のときのような盛り上がりこそありませんでしたが、水素エネルギーは、$CO_2$削減のひとつの選択肢として、静かに注目され続けてきました。

２０１７年末には、政府が今後の水素エネルギー推進について「水素基本戦略」を発表し、具体的な数値目標を示しました。

それによれば、水素の生産量を０・０２万トン（当時）から２０２０年には０・４万トンに引き上げ、さらに２０３０年には30万トンをめざす、としています。

それに伴い、水素のコストを100円／$Nm^3$（当時）から2030年には30円／$Nm^3$まで引き下げるとしています（$Nm^3$は、0℃1気圧の状態の1㎥）。

また、水素燃料電池自動車については、2000台（当時）から2020年には4万台に、2030年には80万台へ。家庭用燃料電池（エネファーム）についても、22万台（当時）から2030年には530万台へと急速に普及させることを目標に掲げています。

さらに2020年、菅総理（当時）が、国内の温室効果ガスの排出を2050年までに実質ゼロにする、いわゆる「カーボンニュートラル宣言」を発した直後、目標生産量が30万トンから300万トンへ、一気に10倍引き上げられたのです。

日本政府が、これだけ力を入れて推進する「水素」とはなんなのか。それはほんとうにカーボンニュートラルの切り札になるのか。

それは、これから本書で見ていくような、水素という化学物質の基本的な性質と、それをわたしたちの社会で利用するための最新技術について知ることで、見えてくるのではないでしょうか。

## 水素エネルギーには、どんな特質があるのか?

水素の基本的な性質について、まず、確認しておきましょう。原子番号1の水素(H)は陽子1個、電子1個で構成され、もっともシンプルな構造をもつ元素である、などということは、すでにご存じの方も多いと思います。ここでは、水素社会にとって重要な、水素エネルギーの性質についてご説明しましょう。

### (1) 環境に有害な物質を出さない

水素は、燃焼しても$CO_2$を排出しません。燃焼とは、酸素と化学反応することですから、水素($H_2$)はその分子に炭素(C)を含まないため、どうやっても$CO_2$は出てこないのです。

$CO_2$排出量の削減は、いま、世界中の関心事となっています。いわゆる温室効果ガスの代表選手である$CO_2$は、地球温暖化の重要なファクターのひとつだからです。とくに近年、洪水や熱波などの自然現象が世界で大きな被害をもたらしていることから、地球温暖化防止はもう机上の理想論ではなく、肌身で感じる危機感となりつつあるという感じがします。

$CO_2$排出量を減らすために、まずやらなければいけないことは、石油などをはじめとする化石燃料の使用量を減らすことです。多くの炭素（C）を含む化石燃料を燃やし続ける限り、$CO_2$を出し続けることになります。そこで、世界では、$CO_2$を排出しない太陽光、風力、地熱などの再生可能エネルギーへの移行が大きな課題となっています。

そして、水素もまた、$CO_2$を排出しないエネルギー源です。

$CO_2$だけではありません。水素が空気中の酸素と反応して出てくるものは、水（$H_2O$）だけです。有害な成分や、地球温暖化につながる成分は、一切出てこないのです。

**(2) さまざまな一次エネルギーから容易に製造できる**

エネルギーには、一次エネルギーと二次エネルギーがあります。

一次エネルギーとは、加工されていない状態のエネルギーで、石油、石炭、天然ガス、原子力、水力、太陽光、風力、地熱などがあります。

私たちが日常的に消費しているエネルギーは、こうした一次エネルギーを加工して、電力や都市ガスのように形を変えたものですが、これを二次エネルギーといいます。

水素は二次エネルギーです。これは見落とされがちなことですが、水素を理解するうえで重要なポイントです。

よく、これからは水素を化石燃料の代わりにすべきだといわれたり、化石燃料や再生可能エネルギーと並べて比較されたりすることがありますが、これは正しい理解ではありません。

「石油だって水素だって、海外から輸入するのなら同じことじゃないか」「いや、水素のほうが環境に良いからこちらを買うべきだ」などという議論は、あまり意味がないということになります。

二次エネルギーである水素は、石油のように地中から掘り出してくるわけではありません。なんらかの一次エネルギーを加工してつくるわけです。

そのつくり方はいろいろあります。3章で少し詳しく述べますが、さまざまな一次エネルギーから、つくることができます。

水（$H_2O$）を分解して水素（$H_2$）を取り出す、という方法が一般的ですが、化石燃料と水蒸気を反応させてつくったものであれば（59ページ参照）、化石燃料が一次エネルギーになります。太陽光発電によって得られた電力で、水を電気分解してつくったものであれば、太陽光が一次エネルギーになります。

化石燃料でも、再生可能エネルギーでも、さまざまな一次エネルギーからつくることができる。それが、エネルギーとしての水素の性質なのです。

水素エネルギーについて語るとき、このことはあまり重視されていません。あえて目をつぶっているような気さえします。「一次だろうが二次だろうが、エネルギーとして使うだけなんだから、そんなことはどうでもいいじゃないか」というふうに。

ただ、これから述べる「水素社会」の仕組みを考えるときには、とても重要なポイントになるということを覚えておいてください。

### (3) さまざまな形態のエネルギーへ、高効率で変換できる

科学的に厳密に話すと難しくなってしまうので、話を少しシンプルにするために、燃料電池と火力発電のエネルギー変換の効率をかんたんに比較してみましょう。

一般的な火力発電の仕組みはご存じの方も多いと思います。水を沸騰させて水蒸気を発生させ、その力でタービンを回し、その回転を発電機に伝えて電気を発生させる、という流れになっています。

つまり、一次エネルギーを燃焼させて熱エネルギーに変え、それをさらにタービンの回転エネルギーに変換し、その回転を利用した電磁誘導によって、電気エネルギーに変換する、というのが、火力発電の仕組みです。

ちなみに、タービンを回すという物理的な運動から電力をつくる、という原理については、水力発電、原子力発電、風力発電、地熱発電などについても同様です。

この方法だと、エネルギー変換の際にどうしてもロスが出ます。火力発電の場合、エネルギー効率はだいたい35〜45%、最新式の発電所でも55%程度といわれています。

一方、燃料電池の場合は、空気中の酸素と、水素を反応させることで、電気を発生させます。詳しい仕組みは5章で説明しますが、理科の時間に習った水の電気分解（水に電気を通して水素と酸素に分解すると、電気エネルギーが水素の形で蓄えられる）の、逆の反応と考えていればいいでしょう。つまり、化学反応によって電気が発生するわけです。

この原理であれば、水素が本来もっているエネルギーを、いったん熱エネルギーに変換したり、さらに運動エネルギーに変換したりせずに、直接電気エネルギーにしてしまうわけですから、かなり効率よく電気エネルギーに変換することができることになります。

理論上の効率は温度で変化しますが、25℃で約83%。ただし、実際にはやはりロスが生じるので現在の技術では35～60％程度となっています。これは今後技術の進歩によって理論値にまだまだ近づける、つまり、まだまだ効率が上がっていくことが期待できます。

**(4) 大量貯蔵から少量貯蔵まで可能**

水素を貯蔵するには、数種類の方法があります。これも、後の4章で詳しく説明します。たとえば、キャニスターという缶コーヒーほどの金属容器に40リットルの水素を詰め込むこともできます。あるいは、最新の水素燃料電池車「ＭＩＲＡＩ」ように３つの車載タンクに合計５・６キログラムの水素を充填《じゅうてん》することもできます。

また、神戸空港島には、直径19メートルの水素タンクがあり、１５０トンの液化水素を貯蔵することができます。

水素は、缶コーヒーサイズから巨大タンクまで、さまざまなスケールの貯蔵が可能なのです。

**(5) 短距離輸送から長距離輸送まで可能**

高圧圧縮した水素は、トレーラーに積んでどこへでも運ぶことができます。

海路では、後述する液化水素運搬船「すいそ ふろんてぃあ」が、オーストラリアから日本まで９０００キロメートルの輸送を予定しています（147ページ参照）。

少量を短距離輸送で届けたり、大量に長距離を運んだり、さまざまな輸送が可能なことも、水素エネルギーの特徴のひとつです。

もう一度、整理しましょう。

**(1)環境に有害な物質を出さない**

**(2)さまざまな一次エネルギーから容易に製造できる**

**(3)さまざまな形態のエネルギーへ、高効率で変換できる**

**(4)大量貯蔵から少量貯蔵まで可能**

**(5)短距離輸送から長距離輸送まで可能**

それが、水素エネルギーです。

いま、水素が注目されているのは、(1)の「環境に有害な物質を出さない」、とくに$CO_2$を排出しないことが主な理由でしょう。脱炭素社会を実現するためには、化石燃料に代わる新たな燃料、$CO_2$を排出しない燃料を、どうにかして確保しなければなりません。

もちろん、水素を「燃料」という視点で見た場合、これは注目に値する大きな特質です。しかし、それだけでは水素の可能性を語るには十分ではありません。むしろ、(2)〜(5)に注目してほしいのです。この4つの特質を読み解いていけば、自ずと水素のもうひとつの可能性に辿《たど》り着くはずです。それは、燃料であるよりも、むしろ「エネルギーキャリア」(運搬手段)として、幅広い活用が期待できるということです。

## 水素だけが担える「エネルギーキャリア」とは何か?

水素は、さまざまな一次エネルギーから容易に製造することができます。前述したとおり、化石燃料でも風力でも太陽光でも、それを一次エネルギーとして、水素を製造することができます。

そして、製造した水素は、もう一度、エネルギーに戻すことができます。

それは、エネルギーを、水素という形に変えて貯蔵し、必要なときにエネルギーに変換して再び利用することができるということ。それがつまり、エネルギーキャリアということです。

しかも、水素は大量貯蔵から少量貯蔵までさまざまな貯蔵ができて、短距離輸送にも長距離輸送にも対応可能。ということは、エネルギーの利用が格段に便利になる、ということを意味しています。

たとえば、エネルギーがたくさんあるときに、余ったぶんをとっておいて、必要なときがきたら取り出して使う。あるいは、エネルギーを持ち歩いて、好きなところで使う。というように、エネルギー利用の幅がさまざまに広がるわけです。

もちろん、こうしたことは、いまでもできるではないか、と思う方もいるでしょう。

そのとおりです。エネルギーを蓄えておく仕組みとして、まず思い浮かぶのが蓄電池（バッテリー）です。自動車はもちろん、ノートパソコンやスマホなどさまざまな機器や家電に搭載されていて、コンセントにつないでいないときでも電力が使えるのは、蓄電池に電力を貯めているから、ということができます。

たしかに、これからも蓄電池は使われていくでしょう。しかし、どんな場合でも蓄電池で対応できるわけではありません。大量の電力を貯蔵する場合、長期にわたって貯蔵する場合には、蓄電池はあまり適しているとはいえません。

蓄電池の大きさは貯蔵する電力に比例するので、GW（ギガワット）レベルの大きな電力を貯蔵しようとすると、巨大な蓄電池が必要になってしまいます。現時点でこのレベルの電力が貯蔵できるのは、揚水発電所のみで、大きなダムが必要です。

また、数日、数週間であれば、蓄電池でも対応できますが、数か月、数年にわたって貯蔵しようとすると、自己放電によって貯蔵エネルギーが減少してロスが大きくなってしまいます。

水素であれば、大量に保存することができますし、長期保存も問題ありません。この水素というエネルギーキャリアを活用することで、蓄電池ではできない、さまざまなエネルギーの蓄え方、使い方ができるようになるのです。

たとえば、さまざまなスケールの貯蔵、輸送を、水素というひとつのキャリアで賄《まかな》うことで、エネルギーを広い範囲で流通させるネットワークを構築できる、ということもそのひとつです。

このような特質をもったエネルギーキャリアは、水素以外には、なかなかありません。

そしてこうしたネットワーク（現実的にはサプライチェーンと言い換えられます）が行き渡り、生活の基盤を支えているような社会が実現したとしたら、それは「水素社会」のひとつの形といってもいいのではないでしょうか。

## 環境のために、なぜ「エネルギーキャリア」が重要なのか？

この水素をキャリアとしたエネルギー供給システムを、いま、わたしたちの社会を支えているシステムと比べてみましょう。

現在、わたしたちが消費する電力は、主に火力発電に頼っています。つまり、石油、石炭、天然ガスなどの化石燃料を燃焼させることで、電力を得ているわけです。そしてその結果として、$CO_2$を排出しています。

これは、いってみれば、一方通行の矢印です。化石燃料を地中から掘り出して、エネルギーとして消費し、最後に$CO_2$を排出します。このシステムが続く限り、いつか化石燃料を掘り尽くしてしまうときがくるでしょうし、大気中の$CO_2$は増え続けることになります。

原子力発電の場合はどうでしょう。$CO_2$排出量削減という観点からいえば、原子力発電は$CO_2$を排出しないのでクリーンなエネルギーであるといえます。

しかしこの図式でいえば、原子力発電も、ウラニウムという原材料を掘り起こしてきて、エネルギーに変え、核廃棄物を排出するという流れは、同様に一方通行です。いわゆる核燃料リサイクルが研究されていますが、いまだ十分な規模での実用化に至っていません。

いずれにせよ、一方通行で不可逆的である限り、いつかは限界を迎えてしまうことになります。

一方、水素をキャリアとした、エネルギー供給の仕組みはどうでしょう。

水素は二次エネルギーなので、なんらかの一次エネルギーを使って水素を発生させます。このときの一次エネルギーがなんであるかは重要な問題なのですが、ここでは脇に置いておきます。

水素を製造するプロセスでは、水にエネルギーを加えて水素を発生させます。そして、水素をエネルギーとして利用するプロセスでは、今度は水素からエネルギーを取り出し、そのときに水が発生します。

つまり水が水素になって、エネルギーを運び、また水に戻ってくる、というサイクルです。

従来のエネルギーシステムが、一方通行の矢印であったのに対して、水素のエネルギーキャリアシステムは、循環するサイクルになる、それが大きな違いです。

もしも一次エネルギーに、太陽光や風力などの再生可能エネルギーを利用するならば、水素を生成する際にも、水素を消費する際にも$CO_2$を排出することはありません。それでいて、社会にエネルギーを供給しながら、サイクルを回し続けることができます。

もちろん、現実的には水素を生成したり、エネルギーを取り出したりするときに、100%の効率ではなく多少のロスが出るので、永久機関のようにいつまでも回り続けるわけではありませんが、効率よく回していけば地球環境へのインパクトを抑えながら、社会に必要なエネルギーを供給し続けることができる、ということになります。

## 水素エネルギーは、なぜ「革命的」なのか?

ここでひとつの疑問として、そもそもエネルギーキャリアはほんとうに必要なのだろうか、と思う人もいるでしょう。

いま、わたしたちの家や仕事場には電気が引かれていて、いつでもスイッチを入れれば電気がつくし、テレビもパソコンも使えます。水素のようなエネルギーキャリアがなくても、なにも不自由なく暮らしていける、ということも事実です。

これについては、電気エネルギーは原則として保存できない、ということが答えになります。

発電所でつくられた電気は、送電線を通って、最終的には各家庭や事業所に供給されるわけですが、途中、電圧や周波数の調整というプロセスを経るものの、原則として、つくった電気は、そのときに使ってしまわないと無駄になってしまいます。スイッチを入れればいつでも電気が使えるのは、24時間いつでも電気が流れてきているからです。

それでも、真夏の暑い時期にエアコン使用などで電力消費が集中すると、電力が不足する事態もあり得ますし、反対に、発電量が多すぎて電力が余りすぎてしまうと、周波数が安定せず、最悪の場合、大規模停電の恐れがあるため出力を制御せざるを得ない、という事態になります。２０１８年10月に、九州電力が43万kWの出力制御を実施しました。本土での出力制御は、国内初の事例だそうです。

エネルギーを、なんらかの方法で大量に保存できれば、需要に比べて発電量が多いときには、余った分を貯めておけばよいのですから、出力制御という事態は避けることができます。

エネルギーを保存することができるようになると、このように、まず時間が自由になります。

使わない電気エネルギーを貯めておいて、後で必要なときに使うことができます。昼間の太陽光で発電したぶんを、貯めておいて夜使うこともできます。春夏に豊富な太陽光で発電したエネルギーを、太陽光が少ない秋冬に利用することができます。

また、消費する場所も自由になります。

いつも強風が吹いている荒地で風力を利用して発電したエネルギーを、その場で水素に変えてしまえば、どこにでも運んでいって利用できます。送電線がつながっていなくてもよいわけです。

うまくキャリアを使うことで、電力エネルギーの使い方は格段に便利になるはずです。こういうことをいうと、経済の専門家がなんというかわかりませんが、大げさにいえば、経済に貨幣が登場したぐらいの変革を、水素はもたらすかもしれない、といえるのではないでしょうか。

貨幣がなければ、狩猟《しゅりょう》でとれすぎた獲物は食べきれずに腐《くさ》ってしまうだけです。でも、これを貨幣に換えれば、とっておいて冬に食料を買うことができます。遠く離れた別の場所にいって、必要な食料に換えることもできます。

時間や空間を超えて、価値を保存することができる。それが、エネルギーキャリアとしての水素の革新性だと思います。

## 「エネルギーキャリア」は水素だけなのか?

水素の他にも、電気エネルギーを貯めておく方法はいくつかあります。蓄電池については、すでに言及しました。実際、太陽光や風力による発電は、天候や季節に影響を受けやすく、供給も不安定なため、蓄電池と組み合わせて利用することがよくおこなわれています。

しかし、科学的に見れば、蓄電池も中身は化学物質です。コンデンサーのように電気を貯めているわけではありません。その意味では、燃料電池と本質的に異なるものではないということです。

にもかかわらず、電気の専門家が構想するエネルギー供給システムは、蓄電池を中心に考えられていることが多いようです。水素の形でエネルギーを貯蔵するという発想がほとんどないのは残念なことです。

蓄電池が得意とするのは、10kWから1MW（メガワット）程度の小規模な電力です。あるいは、数秒、数分の単位であれば、100MW程度まで可能ですが、短時間すぎて実用の可能性は絞られます。

前述したように、大きな電力を保存する場合、長期間保存する場合には、蓄電池はあまり適しているとはいえません。

一方、大きな電力の場合は、揚水発電という方法があります。これは、数十メートルの高低差がある上部貯水池（上池）と下部貯水池（下池）に水を貯め、電力が余っているときにポンプで上池に水を吸い上げ、必要なときに下池に落下させ、タービンを回して発電する、という仕組みです。

日本では80年以上前からおこなわれている方法で、主に火力発電所や原子力発電所の深夜の余剰電力を貯めておくことで、日中の需要ピーク時に対応するという用途に使われています。

これはたしかに発電の調整などには使えるかもしれませんが、わざわざ電気を使って水を汲み上げてポテンシャルエネルギーに変換し、また落として発電するのは、なにか無駄なことをやっているような感じもします。それに大規模な設備が必要なので、どこでもできるというわけではありません。

そこでもっと実用的な単位、たとえば10MW〜1GWぐらいまでの電力を、数時間から数日、場合によっては季節単位で貯蔵する、という場合には、やはり水素がもっとも適している、というのがわたしの結論です。

このシステムのポイントのひとつは、循環する物質が「水」であるということです。水は地球上に大量にある、ごくありふれた物質です。人体にも自然環境にも影響を及ぼすようなものではありません。人間が少しばかりエネルギーに使って増えたり、減ったりしても、地球全体としては微々たる変化です。気象にも健康にも、まったく影響がないといえるわけです。

これがもしも、水以外の物質であったら同じようにはいかないでしょう。

たとえば、アンモニア（$NH_3$）も分子にHを含むので、そこから水素を取り出すことができます。その水素をエネルギーとして使用すると水ができてしまい、アンモニアには戻りません。水素と窒素の反応は発熱反応ですから、この反応からエネルギーを得るということも理屈上は可能ですが、アンモニア生成反応は簡単には進みませんから、現実性がありません。つまり、水と異なり、アンモニアは循環しないのです。

もし、アンモニアの一部が排出されて、徐々に地球上に増えていったらどうでしょう。それは人類が経験したことがない事態なので、実際にはなにが起こるかわかりません。しかし、なんらかの影響はあるでしょう。

水素燃料電池車であるＭＩＲＡＩは、水素をエネルギーに換えて水を排出します。走行中に水を排出しながら走っていますが、水は有害な物質でないので、それが可能なのです。

## 「水素社会」の全体像とは

この、水素をエネルギーキャリアとした循環型のシステムを基本として、「水素社会」を考えたら、どのような形になるのか。その全体像を図（35ページ）に示してみました。

**⑴エネルギーの生成**

まず、元となる一次エネルギーは、再生可能エネルギーであることが理想です。水素は燃焼するときに$CO_2$を排出しませんが、生成するときに$CO_2$を排出していたら、全体として$CO_2$削減にはなりません。ですから、ここでは風力、太陽光、あるいは水力など、クリーンなエネルギーを想定します。

**⑵切替**

このエネルギーが切替を経由して、３つのルートに分かれます。生成したエネルギーを、状況に応じて、グリッド、蓄電池、電解⒜と３つのルートに切り替えます。

電力の供給と需要のバランスがつねに保たれていれば、すべての電力をグリッドを通して需要者に供給すればよいことになります。その他のルートは必要ありません。しかし、再生可能エネルギーは、天候や時間で変動します。需要者が欲しいときに生成できない場合もあるし、逆に多く発電しすぎて余ってしまう場合もあります。それをコントロールするのが、この切替です。

これは、VPP（バーチャル・パワー・プラント）と呼ばれるシステムです。図ではひとつの発電施設とだけつながっているように見えますが、実際には複数の小規模な再生可能エネルギーを集約して、それらをまとめて振り分ける、いわば仮想の発電所のような機能を果たします。

**(3) グリッド**

通常の電力供給網で、電力を各需要者に供給します。

**(4) 蓄電池**

生成した電力が需要を上回り、余ってしまったときは蓄電池に貯めておきます。この蓄電池はグリッドにつながっていて、必要なときにグリッドに電力を流して、需要者に届けます。つまり、エネルギーを一時的に貯めて供給量を調整するバッファ（緩衝《かんしょう》）のような

【日本の「水素社会」の一形態】

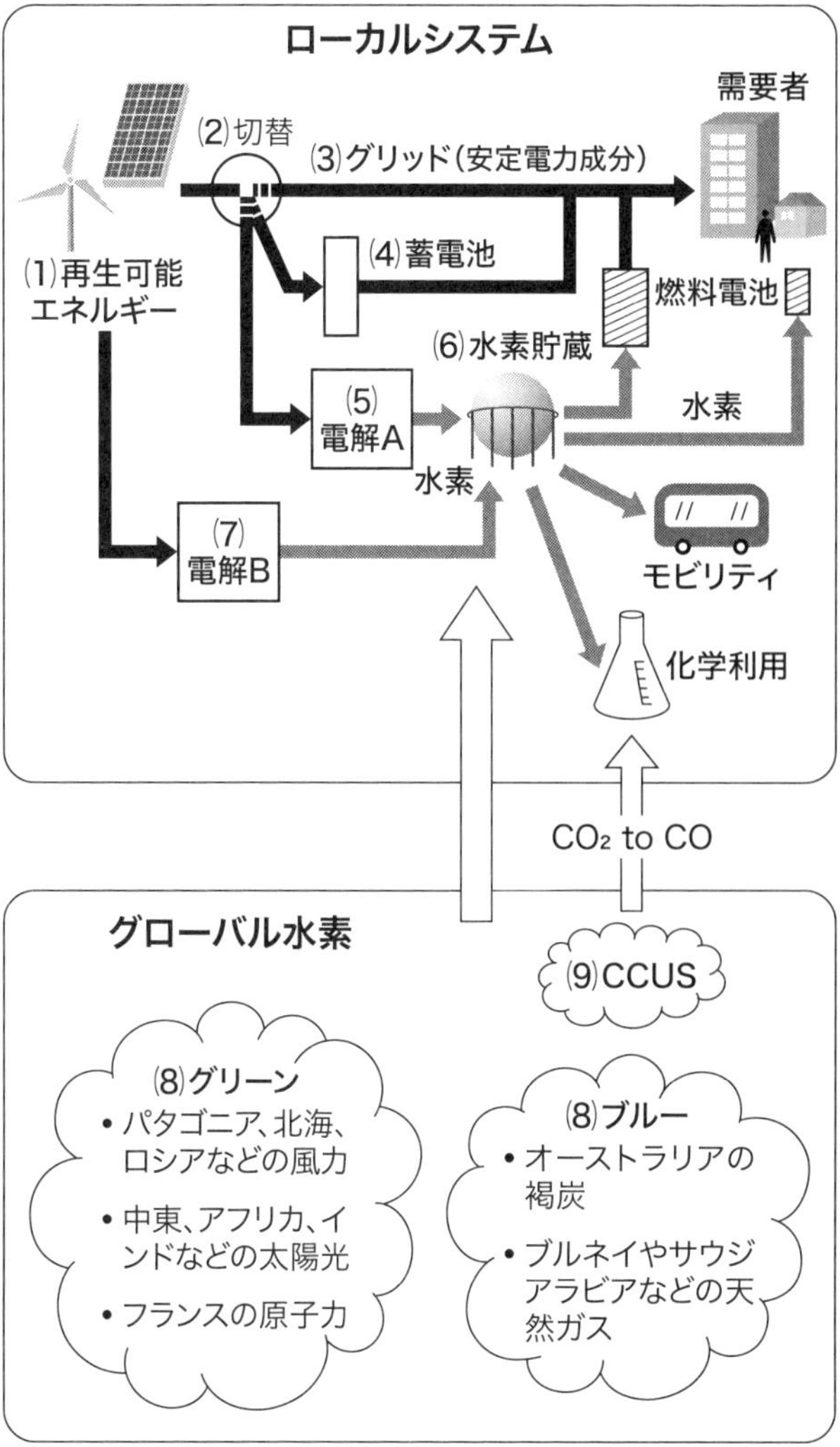
ローカルシステム
需要者
(2)切替
(3)グリッド(安定電力成分)
(1)再生可能
エネルギー
(4)蓄電池
燃料電池
(6)水素貯蔵
(5)
電解A
水素
水素
(7)
電解B
モビリティ
化学利用
CO₂ to CO
グローバル水素
(9)CCUS
(8)グリーン
• パタゴニア、北海、ロシアなどの風力
• 中東、アフリカ、インドなどの太陽光
• フランスの原子力
(8)ブルー
• オーストラリアの褐炭
• ブルネイやサウジアラビアなどの天然ガス

役割をします。

蓄電池に貯めておくのは、短時間です。数分の場合もあれば、数時間の場合もあるかもしれません。そのぐらいの調整は、蓄電池が得意とするところです。量にもよりますが、昼間の太陽光で発電した電力を、貯めておいて夜に使う、というくらいであれば、蓄電池で対応できます。

### ⑸電解A

エネルギーを貯めておくためのルートをもうひとつ設定します。電解設備に送り、水素に変換するルートです。そしてその水素を、貯蔵設備で貯蔵しておきます。こちらは蓄電池よりも、もっと長期の保存、大量の保存が必要な場合です。水素に変換したエネルギーは、いったん貯蔵設備に貯蔵します。

### ⑹水素貯蔵

貯蔵された水素の使い道は、さまざまです。たとえば、各家庭に設置した燃料電池に供給して、電力に変えて使用する。この場合、各家庭が設備投資をして燃料電池を設置し、かつ、そこに水素を供給するインフラを整備する必要があります。それが難しければ、まずは各地域ごとに拠点を置くことでスタートできます。たとえば、コンビニエンスストアのような施設に燃料電池を置き、そこに水素を供給します。そこで電力に変えて、地域のグリッドに電力を流し、各家庭に供給する、という方法です。

また、一部を水素ステーションに送ってモビリティ（乗り物）の燃料にしたり、化学工業用素材として使用したりすることも想定できます。製鉄は、ふつう、化学工業には分類されませんが、酸化鉄を水素で還元するような時代がくれば、化学工業のひとつと位置づけられるかもしれません。

### (7)電解B

再生可能エネルギーから、切替に送らずに、直接電解に送るルートも想定します。

これにはふたつの場合があります。

ひとつは電力の規模が小さすぎて、切替（VPP）が受け入れることができない場合。再生可能エネルギーにもいろいろな規模があり、たとえば個人で太陽光パネルを設置しているような場合、余剰電力が10kW程度であれば、グリッドに流す規模ではありません。VPPの精度によっては小規模なものも受け入れ可能ですが、運営者の負担になります。その場合は、VPPに流さずに、直接電解設備に送ります。

もうひとつは、反対に規模が十分に大きく、かつ変動が大きいことがあらかじめわかっている場合です。たとえば、一度に何百基もの風車を並べておこなう洋上風力発電では、数万kWの発電量になります。これだけまとまった電力であれば、切替を通してグリッドに流さず、初めから水素に変換して利用するようにしたほうが、効率的です。

### (8) グリーン水素・ブルー水素

海外のグリーン水素・ブルー水素については、6章で詳述しますので、ここではざっくりと概要だけご説明します。

水素のエネルギーキャリアとしての特性を活かした使い方として、海外で生成した電力を、水素に変換して日本に運んでくる、という方法があります。世界ではいま、脱炭素化が進み、電源構成における再生可能エネルギーの比率を高めることが求められています。しかし、日本国内では、太陽光や風力などの再生可能エネルギー施設を早急《さっきゅう》に増やすことは容易ではありません。一方、海外には、有り余るほどの太陽光や風力などの自然資源と、広い用地を有している地域がたくさんあります。こうしたところで発電した電力を、水素に変え、日本に運んでくることができれば、グローバルなスケールで再生可能エネルギーの流通が可能になります。

グリーン水素とは、$CO_2$を排出しない再生可能エネルギーで生成した水素。ブルー水素とは、天然ガスをはじめとする化石燃料から生成し、CCUSなどで$CO_2$排出を実質ゼロとした水素のことです。

**(9) CCUS**

これも6章で詳述しますが、CCUS（Carbon dioxide Capture, Utilization and Storage）とは、化石燃料から水素を生成した際に発生した$CO_2$を、地中に埋めるなどの方法で貯蔵するか、化学工業原料として利用することで、大気中に排出しない対策です。

このように、海外から大量の水素を調達して日本に輸入するグローバルなシステムと、実際に水素を現場でのローカルなシステムが連動することをめざしていますが、現在進行しているグローバルシステムの実証実験では、化石燃料から得たブルー水素をグリッドに供給するのではなく火力発電の燃料とすることを想定しています。

しかし、わたしは、化石燃料を水素に変換して燃やしてしまうのはもったいないと考えています。変換を途中の段階で止めて、さまざまな有機化学原料とするほうがよいのではないか。$CO_2$まで酸化されてしまったものから有機物をつくり直すよりは、化石燃料を$CO_2$にしてしまう前に止めて化学変換したほうがよいのではないか。そんな思いから、水素発電（117ページ参照）についてはこの概念図に加えていません。

しかし、水素発電に反対しているわけでは、まったくありません。後述するように、むしろ、当面の移行期においては、大いに進めるべきだと思っています。

# 2章 日本の問題解決を担う水素エネルギー研究

## 水素エネルギーの利用は、いつから構想されていたのか？

水素の性質、未来の水素社会像をご理解いただいたところで、こんどは少し遡って、水素研究のこれまでの流れを見てみましょう。

というのは、〝$CO_2$を出さない〟水素が注目されるようになったのは近年のことですが、実は、クリーンエネルギーとしての水素の研究は、ずいぶん以前からおこなわれていたからです。

イギリスの化学者ヘンリー・キャベンディッシュが水素を発見したのは１７６６年のことですが、そのわずか35年後の１８０１年には、同じくイギリスの化学者ハンフリー・デイビー卿が、水素を燃料とする燃料電池の原理を提唱しています。水素を電力エネルギーに変換する研究は、すでに200年前からはじまっていたわけです。

『八十日間世界一周』『月世界旅行』などで知られるSF作家ジュール・ヴェルヌは、1874年に刊行した『神秘の島』という小説のなかで、「水は未来の石炭だ」と主人公に語らせています。水を電気分解すると酸素と水素ができる。その水素が、石炭に代わる動力源となるかもしれない、と指摘しているのです。

いまから150年前にすでに「水素社会」を予言したとは、やはり「SFの父」と呼ばれるだけのことはあるようです。

ただし、ジュール・ヴェルヌが想定していたのは、燃料電池ではなく水素発電のほうで、水素を燃焼させて動力とする方法でしょう。

燃料としての水素は、当時もすでに一部では利用されていました。

水素は、燃焼すると高温になります。水素と酸素を一定の割合で混合した「酸水素ガス」は、適切に割合を調整すれば2800℃ぐらいになります。この酸水素炎は、溶接やガラス細工、ガス灯などに使用されていたようです。

特殊な用途とはいえ、水素エネルギーが社会的に大きな貢献をした事例として、196

0年代アメリカのNASAによるジェミニ計画、アポロ計画があります。

このときの宇宙船には水素燃料電池が搭載され、宇宙船内の計器などに電力を供給していました。また、燃料電池が電気エネルギーとともに生成した水は、飲み水としても使われていました。もちろん、人類を月面に到達させたアポロ11号でも同様に燃料電池が使われていました。そして、最近ではスペースシャトルにも同じように燃料電池が使われ、船内の電力と、乗員の飲み水を供給していたのです。

## 日本で水素エネルギー研究が始まった背景とは

日本でも、1935年には燃料電池の研究がすでにはじまっています。ですが、実用を視野に入れて、本格的な開発が動きだしたのは、いわゆるオイルショックがきっかけでした。この頃、わたし自身は水素研究に身を投じたばかりの若手研究者のひとりでした。

ここから先は、わたし自身の個人史と重なりますが、かえってエネルギー研究のリアルな現場の空気を感じていただけるかと思います。

1973年10月、中東で紛争が勃発《ぼっぱつ》したことを契機に原油価格が高騰し、思うように原油が手に入らなくなります。世の中ではトイレットペーパーの買い占めなどの混乱が起こるわけですが、産業界としては主要なエネルギー源である原油が入ってこないと大変困ったことになります。当時、日本の一次エネルギーの77％が石油に依存していました。

そこで、通商産業省（のちの経済産業省）が主導して立ち上げたのが、サンシャイン計画です。石油以外のエネルギー源を確保するために、太陽光エネルギー、地熱発電、石炭のガス化・液化、水素エネルギーを〝四本柱〟として技術開発していこうという計画でした。

石油依存からの脱却をめざした、日本のエネルギー政策のひとつの転換期ともいえますが、実際に研究の現場にいて感じたことは、実は多分に政治的な側面も大きかった、ということです。

石油に代わるエネルギーの開発が急務であるのは間違いのない事実ですが、本音をいえば、欲しいのは石油。つまり、産油国に対して「こちらには石油以外にも選択肢があるぞ」とアピールする目的も大きかったわけです。当時はバーゲニングパワーといっていました。要するに〝交渉力をつける〟ということです。

政府の思惑《おもわく》はそうでしたが、研究者の思いはもう少し純粋でした。

オイルショックの約3か月前、1973年7月に水素エネルギー協会（のちに一般社団法人化）が設立されました。

きっかけは、1972年、ローマ・クラブが出した『成長の限界』という報告書です。ローマ・クラブとは国際的な研究・提言機関で、この報告書には、このままの人口増加と経済成長が続いた場合、食料、資源、環境などの問題を総合的に検討すると、100年以内に地球の成長は限界に達する、ということが書かれていました。

当時、エネルギー問題を研究していた第一線の学者たちによるエネルギー変換懇話会という集まりがあり、この問題が話し合われました。その席で「エネルギーの問題はエネルギーの専門家がなんとかしなければ。これからは、エネルギーは水素だろう」という結論になったと聞いています。

水素エネルギー協会の設立趣旨にはこう書かれています。

「化石燃料の枯渇《こかつ》化をほぼ半世紀の後に控え、この予想に基づく経済効果はすでに種々の形で現れているといわれます。また、化石燃料の燃焼による汚染で地球は人間の住める天体としての条件を失いつつあることは周知のとおりであります」

現在のグローバル社会が抱いている危機感を、半世紀前にすでに先取りしていたということは驚きでもあり、また当然のようにも思えます。いずれにせよ、当時の社会的にはあまり注目されることのなかった水素こそ、化石燃料に代わるエネルギーであり、エネルギーキャリアであるという強い意志をもって、日本の水素エネルギー研究が本格的に動きだした、わたしはそう理解しています。

つまり、日本の水素エネルギー開発の本格化は、もとをたどれば官主導ではじまったわけでも、産油国に対する交渉力をつけるためにはじまったわけでもなく、純粋に「これからのエネルギーはどうなるんだ？」という危機感からはじまっているのです。

1970年代、海外ではどんな状況だったのかというと、たとえばアメリカでは、このときすでにリン酸形の燃料電池の実用化を進めています。リン酸形というのは、固体高分子形と違って液体ですから、どこでも使えるというものではありません。それに、規模もかなり大きなものでした。大きなビルの地下に設置して、ビル全体の電力を賄うというような使い方が想定されるものでした。

一方、エネルギーキャリア、つまりエネルギーを運ぶために水素を使う、ということも具体的に考えていて、たとえば太平洋の真ん中の島に原子力発電所をつくって、発電したエネルギーを水素に変換して本土に運ぶ、という計画までありました。

もっとも日本でも太田時男《ときお》横浜国大教授らが同じようなことを考えていて、こちらは原発ではなく、太陽光発電ですが、太平洋に筏《いかだ》を並べて太陽光エネルギーで水素を製造する、ポルシェ計画というプランがありました。ポルシェ（PORSHE）は、plan of ocean raft system for hydrogen economy の頭文字をとった名称です。

## 転機となった「サンシャイン計画」とは

前述したとおり、わたし自身が水素エネルギーの研究に足を踏み入れたのも、この頃です。ほんとうのことをいえば、最初は研究者になるつもりはなかったのです。いま思うと不思議ですが、キャリア官僚になるつもりでいました。

学部を卒業する年に公務員試験に受かっていたので、院に進むか、公務員になるか迷った末、当時信頼していた教授に相談しました。すると、そういうことは自分で決めなさい、などと突き放されてしまったので、それなら通産省で官僚になるのもいいかなと思っていたのです。内心、「きみのような優秀な学生はぜひ院に残ってほしい」といってもらえるかと思っていたのですが、なかなか思うようには事が運ばないものです。

当時は、公害が深刻な社会問題になっていて、ちょうど水俣《みなまた》病裁判の判決が出た直後でした。

水俣病の原因は水銀です。食塩水を電気分解して苛性《かせい》ソーダ（水酸化ナトリウム）と塩素をつくる方法には、イオン交換膜法、隔膜法、水銀法などがありますが、当時の日本で主流だったのは水銀法で、その際に用いる水銀が流出したことが、水俣病の原因になっていたのです。

通産省は、この水銀法を禁止して、隔膜法に転換するよう、大手企業相手にタフな交渉を進めていました。公害をなくすために行政がここまでやっているのか、と感動したわたしは、自分もそんなふうにやりたいと思ったのです。

当時の自分としては、役人的な立場からそうした政策を推進していくのもいいし、研究者の立場から公害を抑えるような研究（当時は無公害プロセスといっていました）を推進していくのもいい、と思っていました。当時、通産省には工業技術院という研究機関の集合体があって、志望すればここで研究に携わることもできたのです。工業技術院は、のちの産総研（産業技術総合研究所）です。

サンシャイン計画が立ち上がったのは、ちょうどそんなタイミングでした。「あ、この研究には価値がある」と考えたわたしは、迷わず研究の道を選んだのです。

サンシャイン計画は、１９７４年７月に発足した、「日本の新エネルギー技術研究開発」についての長期計画で、繰り返しになりますが、太陽、地熱、石炭ガス化・液化、水素エネルギーを四本柱としてスタートしました。

当時、サンシャイン計画に携わっている、水素の研究をしている、ということは一種の誇りでもありました。そのときの〝本〟を、半世紀経ったいまでももっています。

それは、Ａ４くらいのサイズで、黄色の表紙に「サンシャイン計画」と書いてある、通産省がつくったいわば計画書です。書店に売っている本ではありません。でも、書き方に熱が入っていて、なにか立派な〝本〟のように、わたしには感じられたのです。

当時、こうした書類は風呂敷に包んで持ち歩くのが通例でしたが、この本だけは、直にもって歩いている人がけっこういたものです。これをもってさっそうと歩いていると、そばで見ていてもかっこいいなと思ったものです。なんだか未来の日本のために研究しているというオーラが感じられるような気がしました。

前述したように、アメリカではすでにリン酸形の燃料電池が開発されていて、余剰電力を水素に変えて貯蔵するという実証実験がすでにおこなわれていました。日本は後《おく》れをとっていたのです。

とはいえ、ただ追いつくための研究ではなく、すでにあるシステムを念頭において、でも貯蔵するのであれば彼らがやっている方法ではなく、もっと良いものがあるはずだと信じて、日々模索していました。

当時わたしが研究していたのは、水素吸蔵合金です。吸蔵の仕組みについては、4章で詳述しますが、簡単にいうなら、金属の格子に水素原子を取り込んだり、そこから取り出したりする、つまり、金属を水素の〝入れ物〟として利用する、という方法です。

サンシャイン計画はオイルショックを機に立ち上がったものですから、主な目的は石油代替エネルギーの開発です。また、サンシャイン計画から数年遅れて、ムーンライト計画がスタートし、省エネルギーに関する技術開発も進行していました。

## 水素エネルギーの意義はどう変わっていったか？

1980年代になると、オイルショックの混乱は次第に収まり、代わりに浮上してきたのが環境問題です。当時の環境問題は$CO_2$よりもむしろ大気汚染が中心でした。工場や自動車のディーゼルエンジンから排出される大量の窒素酸化物（NOx）や硫黄《いおう》酸化物（SOx）が引き起こす酸性雨や光化学スモッグなどの被害が深刻化していました。

70年代には、石油に代わるエネルギーとして注目された水素ですが、この頃になると、有害物質を排出しないクリーンエネルギーという視点で捉えられるようになります。

とはいうものの、１９８０年代の水素エネルギー研究はサンシャイン計画の当初ほどには盛り上がりませんでした。

１９８０年に第３回世界水素エネルギー会議が東京で開かれますが、このとき、「ピークが終わったな」という感覚がありました。なんだかお別れパーティのような感じだったのを覚えています。

クリーンエネルギーとしての研究は続いていましたが、ここで水素の役割がひとつ終わったな、というのが、そのときのわたしの感想です。というのは、水素と名のつくものにはまだなっていないものの、水素エネルギーに関する技術がいろいろと出揃ってきていました。日本のエネルギーに関する交渉力としては十分だ、というのが通産省の判断で、研究予算もだいぶ縮小されることになったのです。

政府としての思惑はそういうことですが、研究者としては、「はいそうですか」というわけにはいきません。まだまだ研究を続けたいというのが本音です。それで、大手フィルム会社に移ることにしました。当時、材料物性研究会という官民の垣根を超えた研究者同士の交流の場があり、その関係で声をかけていただいたのです。

研究所での吸蔵合金の研究は、技術的にはほぼ完成していましたが、まだ解決しなければならない問題もありました。それを引き続き進めていきたい、ということもありましたが、ひとつには、工業技術院に入ったときの所長のスピーチを思い出したのです。

入所式のとき、69名の新入職員を前にして、所長はこんなスピーチをしました。

きみたちは、ここに永久就職したと思わないように。国の研究機関だからといって、定年までいようとは思わないように。社会から要請があったら、どんどん出ていきなさい。

当時は、終身雇用が当たり前の時代で、しかも通産省ですから、これで安定を手にしたと思った人も多かったなかで、ちょっとびっくりしました。

いま思えば所長のいうことは当然で、当時は、国の研究機関に入っても、大学でやっていた研究をそのまま続けている人が多かったのです。国としては、もっと社会のニーズに応えるもの、産業の発展に寄与するような成果を上げてほしいと考えるのは当然です。

そのときの言葉がつよく印象に残っていたので、転職の話がきたときに、あ、これだ、と思いました。必要だといってくれているのだから、いくべきだと。水素はいまは下火だし、いずれはまた水素に戻るつもりだけれど、出ていってもいいんじゃないか、そう思って、13年間在籍した工業技術院を出ることにしました。

# 80年代、なぜ水素研究は低迷したのか?

会社でのわたしのメインの仕事は、水素から話が逸《そ》れるのでここでは詳しく書きませんが、簡単にいうなら、輪転機印刷に使うPS版の耐久性をあげる研究です。1枚の版で、より多くの印刷ができれば、途中で版を差し替えずに済むし、経済的です。この研究は特許もいくつかとって、会社にも利益をもたらしたと思います。9年後に会社を辞めるまでには一定の成果を上げ、プラントがスタートするところまでこぎつけることができました。

会社にきたばかりの頃、こんなことがありました。

このPS版を製造する過程で、水素が発生します。ところがこの水素は、空気中に放出、つまり廃棄されていました。水素をエネルギーとして研究してきた自分としては、これは見過ごせません。回収するとかなりの量になると考えたので、これを回収する方法を考えて提案しました。結果はあえなく却下でした。

会社にしてみれば、水素自体はそれほど高価なものではないし、プラントは安全に稼働しているので、あえて採用する意味が見いだせなかったのでしょう。当時は水素というものの価値がそれほど重要視されていなかった、ということがよくわかるエピソードです。

会社の仕事の傍《かたわ》ら、相変わらず水素の研究は続けていました。メインは、工業技術院時代から続けている水素吸蔵合金です。

この頃には、技術的にはほぼ完成していて、どんなニーズにも応えられるようになっていました。つまり、「このくらいの温度でこのくらいの圧力の水素を取り出せる合金が欲しい」といわれれば、それに合致する性質の合金をすぐにつくることができる、という状態です。材料設計のノウハウはすでに確立していたものの、「それなら、こういうものをつくってほしい」というニーズがぜんぜんないのです。

それがその当時の、社会から見た水素エネルギーの注目度でした。

## 燃料電池車「MIRAI」が衝撃的だった理由

潮目が変わったのは、1995年、IPCC（国連気候変動に関する政府間パネル）の第二次報告書が出された頃でしょう。この頃、ブラジルのリオデジャネイロで「地球サミット」（1992年）が開催されるなど、気候変動、地球温暖化が世界の関心事になりつつありました。IPCCの報告書は、地球温暖化の原因は、人類の化石燃料消費による$CO_2$濃度の上昇だと、名指しで結論づけたのです。

これ以降「$CO_2$削減」が、国境を超えた人類共通のテーマとなり、化石燃料依存からの脱却、$CO_2$排出ゼロにむけたロードマップの作成が急務となりました。$CO_2$を排出しない水素エネルギーは、ふたたび重要な選択肢として注目されるようになったのです。

もう一度、わたし自身の話をすると、会社での仕事をやり終えたのち、1996年に豊橋技術科学大学に移って水素の研究を進めます。水素吸蔵合金やカプセル化など、水素の貯蔵に関する研究をしていましたが、この時代、水素エネルギーへの関心が徐々に高まってきた実感があります。

そんな流れのなかで、前述したとおり、2014年の暮れにトヨタからMIRAIが発売されます。その頃、わたしはすでに日本大学に籍を移していましたが、長年水素エネルギーを研究してきた者としてとても驚きました。これはちょっと驚異的だな、と思ったものです。

もちろん、世界初の燃料電池車（FCV）が出た、ということで、世間でも大きな話題になりました。わたしたち研究者は発売の1か月ほど前に情報を得ていましたが、まさかこんなものができるとは思ってもいなかったのです。

燃料電池車自体は、すでに90年代後半から試作車がありました。しかしそれはあくまで試作車で、価格にするなら1台数億円にもなり、いくら性能が良いとしても実用化とは程遠いものでした。

ＭＩＲＡＩは、燃料として圧縮水素を使用します。70ＭPa（約７００気圧）という高圧に圧縮して、５キログラムの水素を充塡《じゅうてん》することが可能です（ＭPa＝メガパスカル）。発売当初、車載タンクふたつの容積は１２２・４リットルですから、密度は41kg／㎥ほどになります。圧縮水素方式だと30kg／㎥がやっとと思われていた時代ですから、これは画期的なことでした。

ところで、水素5キログラムとはずいぶん少ない、と思うかもしれませんが、水素は軽い気体です。これで航続距離は約６５０キロメートル。東京から大阪まで東名高速道路で移動すると約５００キロメートルですから、この間、燃料補給なしで走りきれることになります。つまり、ガソリン車に負けないどころか、それ以上の性能でさっそうと登場したわけです。

ちなみにわたしも試乗させてもらったことがありますが、その性能には驚きました。加速がものすごく良いので、このまま空まで飛んでいってしまいそうだと思うほどでした。レスポンスの良さはモーターならではなのでしょう。電気自動車（ＥＶ）を運転したことはないのですが、おそらく感覚としては似ていると思います。しかも、ほとんど音がせず、静かさは驚異的です。

このMIRAIの発売を機に、2015年を水素元年として、水素エネルギーが再び注目されだしたことは、すでにご存じのとおりです。

これが、水素エネルギー研究の大きな流れです。知っていただきたいのは、水素エネルギーは近年の〝カーボンニュートラルブーム〟のなかで突然浮上してきたわけではないということ。半世紀も前からつねに、化石燃料の枯渇、環境汚染、地球温暖化など、さまざまな社会課題とむき合いながら、さまざまな視点で研究が続けられてきた、ということです。

こうして時間をかけて蓄積されてきた研究の成果として、いまの水素エネルギーの技術があるということです。

# 3章 いかにして水素を〝つくる〟のか

## 水素社会移行への最初のステップとは

水素エネルギーをわたしたちの社会で活用していくためには、とくに水素をエネルギーキャリアとして循環させていくためには、３つのステップでそれぞれ革新的な技術が必要でした。

**つくる＝エネルギーを水素という形に変換する**
**貯める・運ぶ＝水素を安全に、大量に、効率よく貯蔵し、輸送する**
**つかう＝水素をエネルギーに変換する**

再三述べているように、二次エネルギーである水素は、石油のように地中から掘り出すことはできません。したがって、まずは水素をつくることが必要になります。いったい、どのような方法があるのか、水素を「つくる」技術から見ていきましょう。

## 化石燃料と水蒸気を高温で反応させる「水蒸気改質」とは

水素の製造方法として、現在もっとも広くおこなわれているのは、水蒸気改質という方法です。

天然ガス（主成分はメタン）、LNG（液化天然ガス）、LPG（液化石油ガス、主成分はプロパン）、ナフサ、灯油などの化石燃料を、約800℃の高温で水蒸気と反応させることで、水素を発生させます。原料のなかの炭素と炭素、炭素と水素の結合が切れて、炭素がCO（一酸化炭素）や$CO_2$へ変化するのと同時に水素が発生するわけです。

現在、後述する製油所内の水素製造設備（次項目参照）や水素ステーション用の水素製造設備など、実用化されている水素のほとんどがこの方法でつくられているといってもいいでしょう。

この場合、一次エネルギーとして化石燃料を使用するので、$CO_2$が発生します。「水素はCO$_2$が発生しないクリーンなエネルギー」といわれますが、燃焼時に$CO_2$を排出しなくても、製造する過程で$CO_2$が発生していたら、その化学的な性質を活かしきれていないということになります。

現在は、この水蒸気改質が主流になっていますが、将来的にカーボンニュートラルの実現をめざすためには、自然エネルギーによる水電解（62ページ参照）などの$CO_2$が発生しない製造方法への移行を進めていくべきでしょう。

## 石油精製などの副産物としてつくられる「副生水素」とは

副生水素とは、化学工場などで製品を製造する過程で、副次的に発生する水素のことです。

現在、副生水素をもっとも多く発生させているのは、石油を精製する製油所です。ガソリンのオクタン価を高める過程で一定の水素が発生します。

一方、製油所では、原油に含まれる硫黄を取り除く脱硫《だつりゅう》という工程で水素を使用しています。硫黄（S）を水素（H）と反応させ、硫化水素（$H_2S$）にして除去します。

製油所では、副生した水素を利用して、この脱硫をおこなっていますが、それだけでは足りないので、施設内に水素製造設備をつくり、水蒸気改質により不足分の水素を製造して補っています。

現在、国内の水素製造量は推定で約200万トン弱ですが、その約6割は、製油所でつくられています。しかし、製油所の製造能力にはまだ余力があり、フル稼働すれば、自社消費する以上の水素を製造することができます。

現在、ENEOS（エネオス）の水素ステーションで供給する水素のほとんどは、製油所の水素製造設備で製造されたものです。

製油所以外では、苛性《かせい》ソーダ工場でも水素が副生します。

苛性ソーダとは水酸化ナトリウムのことで、重要な基礎化学材料のひとつです。「苛性ソーダの製造量を統計するとその国の勢いがわかる」といわれるほどで、工場排水や下水処理施設の環境汚染対策に用いられたり、ボーキサイトからアルミニウムを取り出す製錬工程に使われたりしています。

苛性ソーダは、食塩水を電気分解してつくりますが、このとき、水酸化ナトリウムだけではなく、塩素と水素も同時に発生します。発生した水素は工場内で燃料として使用するのが一般的です。

製鉄所では、石炭を蒸し焼きにしてコークスを精製する過程で、水素を多量に含むガスが発生します。このコークス炉ガスは、苛性ソーダ工場同様、燃料として自社消費されています。

このような副生水素は、新たに水素製造設備をつくる必要がないため、今後の水素の需要に応じて、外販用として有効に活用することが期待されています。

## 電気で水から水素を取り出す「水電解」とは

前述したように、現在のように化石燃料の改質が中心では、カーボンニュートラルな水素社会は実現しません。また副生水素は、あくまで副生なので自由に大量につくることはできません。

将来的にはより効率的でクリーンな水素の製造が求められることになり、現在さまざまな製造方法が研究されています。なかでも、古くから知られているのが、水を電気分解して、水素を発生させる方法です。

電気分解とは、水（$H^2O$）に電気エネルギーを加え、酸素（$O_2$）と水素（$H_2$）に分解することをいいます。

電気分解の方法は主に3つあります。

【水電解（アルカリ水電解）の模式図】

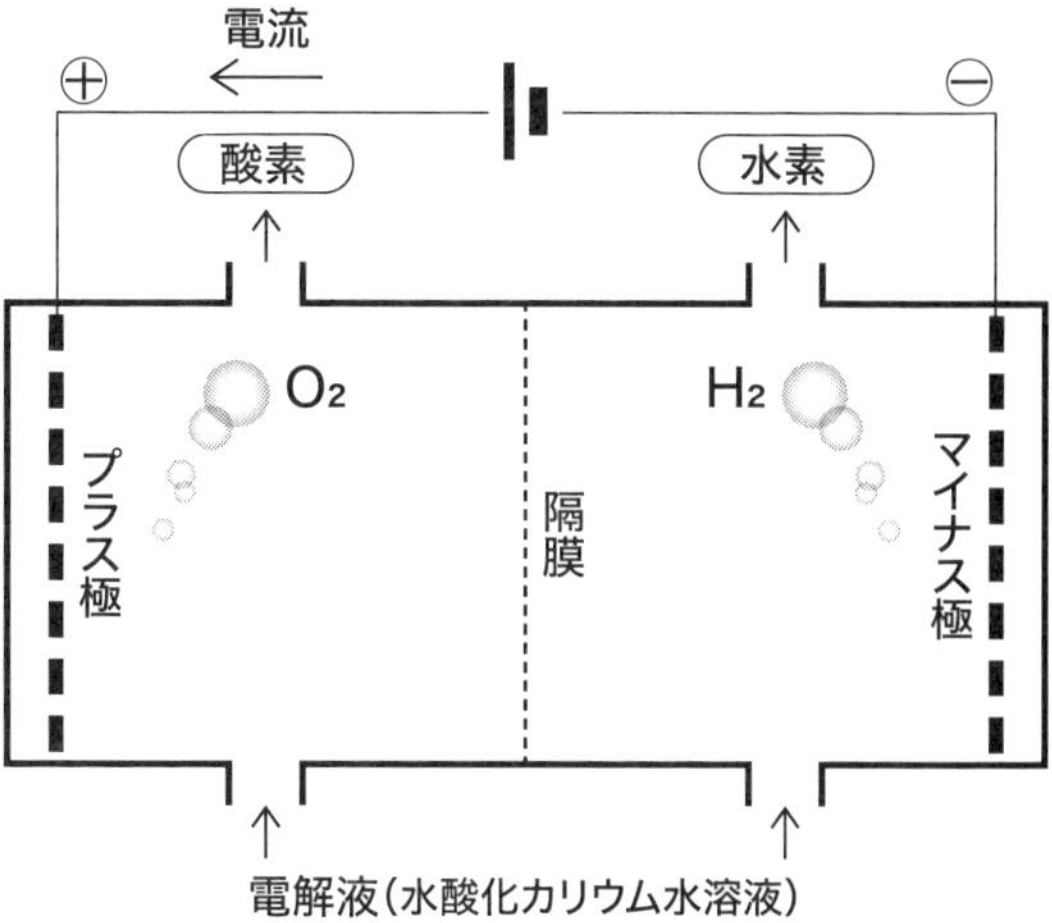


アルカリ水電解は、水酸化カリウムの強アルカリ溶液を電解質に用いる方法で、すでに海外で実用化されている実績があります。とくに大規模水素製造に適しているため、今後の安価な水素製造にはなくてはならない技術です。

固体高分子形水電解は、電解質として固体高分子膜を使用します。アルカリ水電解よりも、コンパクトでエネルギー効率が良いのが特徴です。用途としては、実験室用の水素発生器があるくらいで、実用は進んでいません。

高温水蒸気電解は、1970年代に開発された方法で、固体酸化物を使用して、700〜1000℃の高温で作動させるものです。現在は実証段階で、実用レベルではありません。

今後、化石燃料の改質に代わって、水電解が普及していくかどうかは、コストが鍵を握っているといえるでしょう。現在、製造コストは化石燃料改質の約2倍と計算されていますが、今後の技術開発によって、大量かつ安価に水素を製造できる水電解の方法が確立されることに期待しています。

## 水を光エネルギーで分解する「光触媒」とは

これは、電気エネルギーの代わりに光のエネルギーを使って、水素を発生させる方法です。必要なものは、材料となる水、太陽エネルギー、触媒だけです。

触媒の代表的な材料は酸化チタンですが、これは半導体です。この表面に光が当たると電子が飛び出します。その電子が抜けた穴がホール（$h^+$）というものになりますが、不安定なので周りのものと反応しやすくなります。それで水を分解する――大雑把《おおざっぱ》にいえば、こういうことになります。

これはまだ研究の段階です。実験室ではエネルギー効率が10％近くあっても、実証実験してみたら1％程度ということが続いていて、実用化の目処《めど》が立っているとはいえないのが現状です。

先に述べたように、いまはほとんどが水蒸気改質ですが、カーボンニュートラルを実現するためには将来的には自然エネルギーに移行するべきです。この光触媒も、当初の考え方には、太陽光で発電してそれを水素にするよりも、もっと効率よく自然エネルギーを水素にできないか、それなら太陽の光で直接水素をつくり出すことができれば、ステップがひとつ少ないぶん、効率的なのではないか、という発想があります。

たしかに、原理的には光が水を直接水素に変えるのだから、そのほうが効率が良いはずです。しかし、理屈どおりの効率を実現できていません。どこで効率が悪くなっているのか、それが解決できれば、実用化に一歩近づくでしょう。

この光触媒は、日本で開発された技術で、研究も日本がリードしています。逆にいえば、日本で実現できなかったら、なかなか難しいということになります。

## 高熱で水から水素を取り出す「水の熱分解」とは

水を3000℃くらいの高温にすると、水素と酸素に分かれます。

この反応を利用して水素を回収する方法が研究されています。

たとえば、スペインでは巨大な鏡を並べて太陽光を一点に集め、高温をつくるという実験をおこなっています。太陽は刻々と動くので、コンピュータ制御で鏡を追尾《ついび》する仕組みになっています。

これはあくまで実験なので、これだけの仕組みを使って水素を製造しても〝元がとれる〟わけではないでしょう。

それに、水素と酸素に分かれたとしても、またすぐに反応してくっついてしまったりするので、これを分ける分離膜が必要になります。３０００℃の高温で機能する分離膜を開発するのはなかなか難しいだろうと予想します。

より現実的な方向としては、複数の化学反応を組み合わせて、反応の起こる温度を１０００℃くらいにまで下げる方法があります。これを熱化学法といいます。化学反応の選択をうまくやれば、反応温度は数百℃で済みます。

現実的な熱源としては原子力が想定されています。発電用のものとは異なる高温ガス炉という方法で、１９７０年代から日本で研究されています。

原子力といっても、冷却剤にヘリウムを使用するので水素が漏れ出して爆発するようなことは絶対にありません。タービンを回して電気エネルギーに変える原子力発電よりは安全性は高いといえます。

ただし、事故が起これはメルトダウンのリスクは当然ありますし、放射性廃棄物も残りますから、そこは原発と同じ議論になると思います。

## 生物資源を利用する「バイオマス」とは

バイオマス（生物資源）から、水素を製造する方法は2通りあります。加熱してガス化する方法と、微生物を利用する方法です。

前者は、木屑《きくず》などのバイオマスを加熱して、水（$H_2O$）と反応させます。化石燃料の場合と同じ、水蒸気改質です。バイオマスは、生物由来なので炭素が多く含まれており、水蒸気改質によって水素を製造することができます。加熱して水（$H_2O$）と反応させ、$CO_2$の発生を伴いつつ水素を取り出すことができます。

技術的には可能ですが、まだ実用化されたという話は聞いていません。バイオマスは、そのまま燃焼させて発電するほうが、いまのところは多いようです。

後者は、微生物が有機物を分解して発生させるメタンガスを利用するもので、天然ガスと同じように水と反応させることで水素ガスを発生させます。

## 廃物を利用して水素をつくるメリットはあるか？

最近は、持続可能な社会をめざして、廃棄物を出さずに、なんらかの形で再利用することも多くなっています。そのなかで、廃棄物を水素に変える、という試みも多くおこなわれています。

たとえば、川崎市が取り組んでいる「川崎水素戦略」。その一環として、ホテルの使用済みアメニティなどの廃プラスチックから水素を製造し、エネルギーを地産地消する実証実験がおこなわれています（159ページ参照）。

反応としては、化石燃料の場合と同じ、水蒸気改質です。プラスチックは、元をたどれば化石燃料なので、石油や石炭と同じです。技術的には難しいことではありません。むしろ、原料の品質が揃っているので、反応条件が決めやすいというメリットもあります。

ただし、こうした廃物利用としての水素製造に、化学者として全面的に賛成しているわけではありません。

エネルギー効率を考えれば、回収してもう一度そのまま使うリユースや、プラスチックのままなにか別なものに形を変えるリサイクルのほうが無駄がないからです。別の化学物質に変えるためには、そのためのエネルギーが必要になります。それでも、プラスチックゴミにして燃焼させてしまえば熱になるだけなので、それに比べれば化学反応で水素を製造するほうがまだ有益だと思います。

また、バイオマス（糞尿《ふんにょう》）由来のメタンガスを利用することについても同様です。わたしは、メタンはメタンのまま活用するほうがよいと考えています。あるいは、糞尿のなかにはリンが含まれているので、これを回収して、肥料にするのもいいでしょう。エネルギーに変換するのもいいですが、そちらのほうが無駄がないのではないでしょうか。バイオマス由来のメタンを改質すれば、$CO_2$が出ます。あるいは、燃焼させて火力発電に使用しても、同様に$CO_2$が排出されます。

けれども、「バイオマスの$CO_2$は植物が吸収してまた自然に戻るので環境に影響しない」という意見もあります。しかし、これはどういう計算をしているのか、疑問に思います。$CO_2$はバイオマス由来でも化石燃料でも同じ$CO_2$なので、変わらないはずです。

水素から話が少し逸れますが、サトウキビやトウモロコシを発酵させてつくる「バイオエタノール」というものも、「環境にやさしい」として注目されているようです。

しかし、燃焼させたときのカロリーあたりの$CO_2$は、石油や石炭からつくるベンゼンなどの炭化水素と比べたら、エタノールのほうが多いのです。つまり、同じ燃やすなら、ベンゼンのほうを燃やして、エタノールはとっておくほうが環境によいということになります。

バイオ由来であれば燃やしても環境によい、ということはありません。燃料が必要であれば、化学的に見て$CO_2$排出量の少ないほうを燃やすのが環境によいと思いますが、残念ながら、あまりそういうことはいわれていないようです。

# 4章 水素を〝貯める・運ぶ〟ための最新技術

## 水素社会への第二のステップとは

水素は、エネルギーキャリアとして優れた特質を備えていますが、デメリットをあげるなら、ひとつは「常温で気体である」ということ。そのままでは途方もなく体積が大きくなってしまい、貯めるにしても運ぶにしても不便です。

ふたつめは「軽い」。わずかな隙間から漏れて上方に拡散し、消えてなくなってしまいます。そのために扱いが難しいということです。

水素は、重量あたりの燃焼熱は大きいのですが、体積あたりのエネルギー量は、都市ガスに比べて3分の1程度です。

水素にはこうした特性があるため、大量の水素を効率的に貯蔵・運搬するために、特殊な技術を使ったさまざまな方法が用いられます。

## ボンベに貯蔵する「超高圧圧縮」とは

もっとも一般的な方法は、圧縮です。

たとえば自動車の燃料として使うためには、大量の水素を燃料タンクに充填《じゅうてん》する必要があります。燃料電池車のＭＩＲＡＩでは、70ＭPa（約７００気圧）という超高圧に圧縮することで、合計約５・６キログラムの水素を充填でき、航続距離８５０キロメートルを可能にしました（２０２０年のモデルチェンジ後のタイプの数値）。

この70ＭPaがどのくらい高圧なのか、想像がつきにくいと思いますが、たとえば居酒屋によくある生ビールの炭酸ガスボンベは、気温15℃で５ＭPaです。ただし外気温の影響を受けて内部温度が上昇すると15ＭPaを超えることもあり、そのような状態では「取扱注意」となります。

普段わたしたちが大学などの実験室で扱っている圧縮ガスは、たいてい15ＭPa。欧米ではもう少し規制が緩《ゆる》いので20ＭPaくらいです。

70ＭPaがいかに超高圧であるか、ご想像いただけたでしょうか。

この超高圧を実現するためには、頑強《がんきょう》なボンベを開発する必要があります。高圧に耐えるためには、それだけ壁を厚くすれば良いわけですが、厚くすればそれだけ重くなり、自動車に搭載することが難しくなります。

トヨタは、炭素強化繊維プラスチック（ＣＦＲＰ）を使用することで、乗用車に装備できるほどコンパクトで、かつ超高圧に耐える水素ボンベの開発に成功しています。

圧縮ガスのもうひとつの問題は、ガスの温度上昇です。多くの場合、気体を圧縮すると温度が上昇するのですが、室温付近の水素は、逆に、体積膨張したときに温度が上昇します。気体には固有の逆転温度というものがあり、水素の逆転温度は絶対温度で２００Ｋ（ケルビン）、摂氏でマイナス73℃ですから、室温付近では通常のガスとは逆の挙動をしてしまいます。

ＭＩＲＡＩなどに水素を充填するステーションでは、３分間の急速充填で、ボンベの使用限界である85℃を超えてしまわないように、あらかじめ水素をマイナス40℃程度まで冷やしておく「プレクール」を採用しています。

## 超低温で液体にする「液化」とは

気体の体積を小さくするもうひとつの方法は、液化することです。物質には固有の沸点があるので、この温度より下げれば、液体になります。

水素の沸点は、20K（マイナス253℃）です。そこまで冷やせば、液体になり、体積は800分の1になります。

マイナス253℃という超低温を実現するために、2段階のステップを組み合わせる方法を用いています。まず、液体窒素を使ってマイナス196℃付近まで冷却します。その後、コンプレッサーを使って圧縮と膨張を繰り返すことで、さらに温度を下げていきます。

逆転温度以下の温度では、気体を圧縮すると温度が上がります。この熱を除去してから、一気に膨張させると、こんどは温度が下がります。これを何度も繰り返すことで、マイナス253℃という超低温にすることができます。この圧縮、膨張を繰り返すことで温度を下げるという方法は、冷蔵庫やエアコンでも採用されている一般的な方法です。水素の液化の最終段階では、ノズルから霧吹き状にガスを噴出させて液化させるジュールトムソン膨張が用いられます。

ちなみに、通常の冷凍庫がマイナス20℃くらい、大学の研究施設などにある特殊な冷凍庫が、マイナス80℃です。マイナス１９６℃の液体窒素も、実験室でよく使用します。ここまでは、とくに難しい温度ではありません。ただ、それ以下の温度にしようとすると簡単にはいきません。

現在、商用に流通している水素は、大半が高圧圧縮で、一部、液化水素が扱われています。将来的には、このふたつの方法を用途や規模によって使い分けていくことになると思います。

充塡してから使い切るまで長期間の貯蔵が必要な場合は、高圧圧縮が使われるでしょう。液化水素は一定の割合で自然蒸発してしまうので、長期貯蔵にはむいていません。

現在、ＭＩＲＡＩが採用しているのは圧縮水素ですが、今後、長距離トラック、路線バス、鉄道のように、大型で長距離を走り続けるような燃料電池モビリティには、液化水素を使用するようになる可能性があります。

## 磁気を使って液化する「磁気冷凍」とは

液化によって、体積を小さくすることができますが、課題もあります。コンプレッサー

【磁気冷凍の原理の模式図】

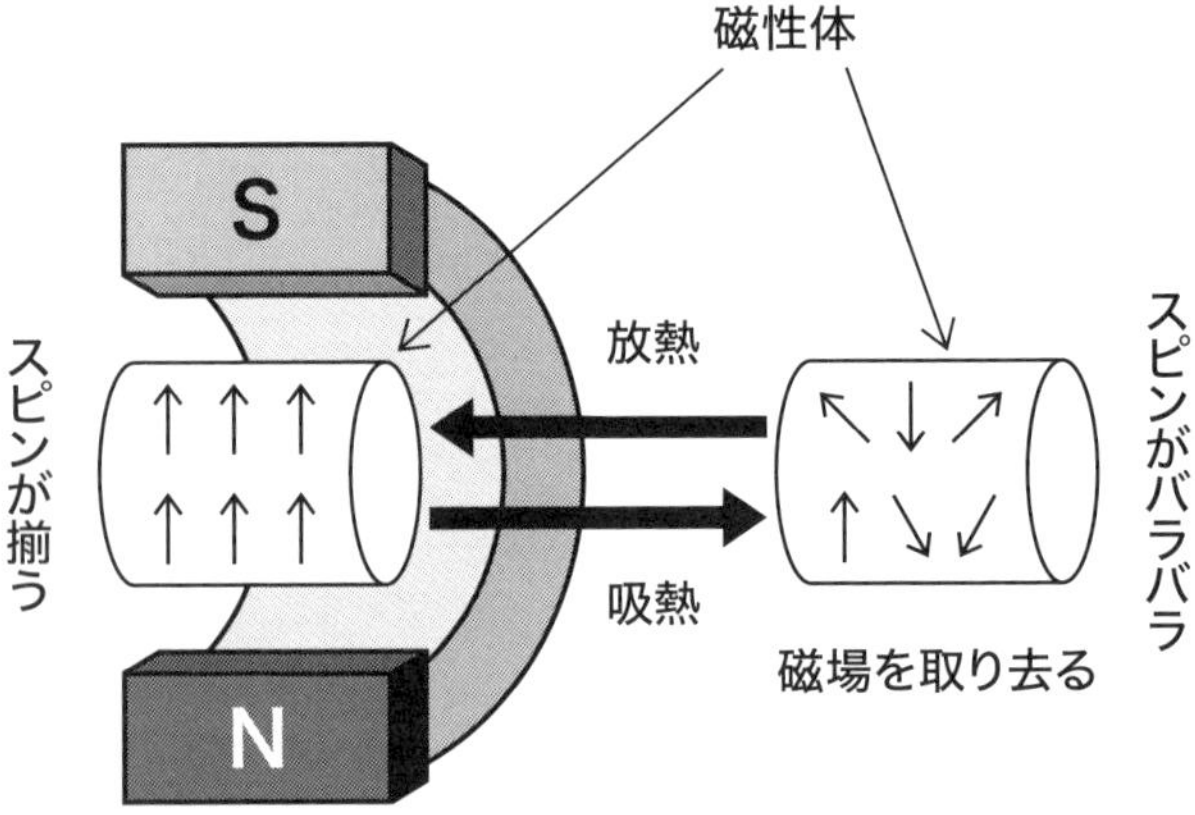


による圧縮に大量の電力が必要になるということ。つまり、水素を液化するために、大量のエネルギーを投入しなければならない、ということです。

そこで、もっと簡単に、少ないエネルギーで温度を下げる方法はないだろうか、ということで、いま、わたしたち物質・材料研究機構が研究を進めているのが磁気冷凍という方法です。

これは、温度を下げるために、圧縮・膨張ではなく磁場を使います。ある種の磁性体に、強力な磁場を加えると熱が発生します。逆に磁場を取り去ると、温度が下がります。これを「磁気熱量効果」といいます。

原理を説明しましょう。磁性体のなかの電

子は、自転運動（スピン）をしています。通常はバラバラなスピンの方向が、磁場によって規則的に揃うことで、エントロピー（一般に、糸の乱雑さの度合い、ここでは、スピンのバラバラの度合い）の減少分を熱として放出します。反対に、磁場を取り去るとスピンの方向はバラバラになり、エントロピーの増加分を周囲からの熱で補おうとします。

少し難しい話になりましたが、圧縮・膨張したときの低エントロピー・高エントロピー状態を、磁場によってつくり出しているわけです。

この原理を応用すれば、コンプレッサーを使わなくても、強力な磁場に近づけたり遠ざけたりするだけで、磁性体を冷やすことができます。磁性体を冷やせば、そこに熱を吸わせることで、水素を冷やすことができます。これが、磁気冷凍という技術です。

この方法で必要となるエネルギーは、磁性体をピストン運動させるエネルギーだけで、コンプレッサーのような強力な電力は必要ありません。

液化効率（液化の最小仕事／投入仕事）を、通常の気体冷凍と比較してみると次のとおりになります。

気体冷凍：25％（汎用）～40％（寒剤予冷）
磁気冷凍：40％（現状）～70％（設計値）

磁気冷凍のほうが、より少ないエネルギーで液化が可能になります。つまり、コストが安く済む可能性があるのです。いまはまだ実験室で1日5キログラムほどの液化の目処が立ったところですが、今後数年で、1日100キログラム、液化効率50%を達成する計画です。

## 金属の原子に水素原子を入り込ませる「水素吸蔵合金」とは

水素吸蔵合金とは、金属に水素を〝吸わせて〟貯蔵する方法です。この方法では、水素の体積を約1000分の1にして貯蔵することができます。

金属に水素を吸わせる＝金属のなかに水素が入っている、という状態はなかなかイメージしにくいかもしれませんが、簡単にいえば、金属の原子が格子状に組まれていて、隙間に水素原子が入り込んでいる、という状態だと考えてください。

炭素や窒素でも、このような吸蔵は可能ですが、原子が大きいため水素のようにはうまくいきません。原子が小さい水素だからこそ、すんなりと入り込むことができるのです。

水素吸蔵合金のメリットは、圧縮水素や液化水素に比べて取り扱いが容易で、比較的簡易な容器に収納できるということです。1MPa（約10気圧）程度の圧力で収納できます。

日本では10気圧を超えると高圧ガス保安法の対象になりますから、それ以下の圧力で扱えることは、大きなメリットになります。

とはいっても、不用意に空気に触れると危険です。爆発したり炎が出たりすることはありませんが、空気と反応して炭火のように熱くなります。そのため最近では、表面コーティングの技術が発達して、空気に触れただけでは反応しないようにする技術が開発されています。

**【吸蔵合金による「貯蔵の原理」】**

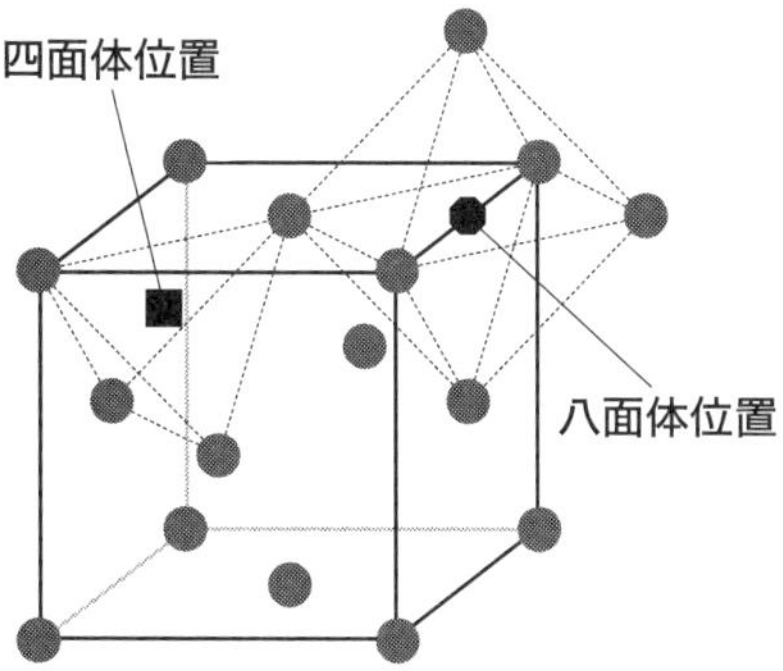


金属は、固体のとき、原子が格子状に連結された結晶となる。格子には、構造上の隙間が存在し、原子半径の小さい水素を、この隙間（四面体位置・八面体位置）に「吸蔵」することが可能となる。

ところで、金属のなかに水素を入れる、という発想は、研究者のわたしでもそうとうユニークだと思います。いったい誰が思いついたのか。この分野の第一人者であるアメリカ人のライリーさん（本人は、"Doctor"と呼ばれるのをいやがっていて、"Chemist"（化学者）だといっていました）にお会いしたときに、聞いてみたことがあります。

「この方法はあなたが考えたのですか？」

という問いに対する答えは、「考えたのは自分ではなく、ドイツ・ミュンスター大学のヴィッケ博士です」とのことでした。

ヴィッケ博士は、自分の実験室で使う水素の純度を高めるために、金属に一度〝吸わせる〟という方法を編み出したのだそうです。

水素を金属に吸わせてから、周囲を真空にします。すると、水素以外の気体を取り除くことができます。その後、この金属を温めて、水素を発生させれば、高純度な水素を得ることができます。

この手法は、水素の純度を高めるだけでなく、もっとさまざまな応用ができるはずだと、さらに発展させていったということです。

ヴィッケ博士が、〝金属に水素を吸蔵できる〟ことをどこで知ったのかはわかりませんが、吸蔵によって高純度にする、というアイデアは彼のものでしょう。発想が見事だと思います。

## ふたつの方法を合体した「ハイブリッド貯蔵」とは

超高圧貯蔵と水素吸蔵合金を合体させた、ハイブリッド貯蔵という方法もあります。水素吸蔵合金では、金属が重いため、単位重量あたりの水素貯蔵量は小さくなります。逆に超高圧貯蔵では、単位体積あたりの水素貯蔵量は吸蔵金属ほどには多くなりません。

そこで、このふたつを合体させ、タンクのなかに、水素を吸蔵した金属を入れ、その隙間に圧縮した水素を充填します。すると、タンク内を70MPaまで超高圧にしなくても、超高圧時と同量の水素を貯蔵できる計算になります。

この研究は、燃料電池車のタンクを想定して研究が続けられてきましたが、現在のところまだ実用化されていないようです。

## 多数の微細な穴をもつ物質を使う「吸着」とは

吸蔵とは別に、吸着という方法も研究されています。吸蔵は、金属原子の格子のなかに、水素の原子を取り込んでしまうイメージでしたが、吸着は、表面に分子をくっつけるイメージです。表面といっても、金属片の表面ではなく分子サイズの細孔の表面で、ナノチューブ、グラファイト、活性炭などが有力です。

こうした物質には微細な穴が開いていて、穴のなかを含めると、表面積が大きくなります。1グラムあたり数千平方メートルというものもあります。この〝表面〟に水素を吸着させることで、貯蔵しようという技術です。

これはいま、盛んに研究されていて、ＭＯＦと呼ばれる一群の新物質の吸着材候補の数は膨大な数にのぼり、その種類の数は、世界中で、５０００とも50万ともいわれています。ＭＯＦはMetal-Organic Frameworkの略称で、金属原子と有機物成分とが規則正しく配列し、ゼオライト（酸素原子によって連結されたアルミニウムとケイ素が三次元の規則的な細孔を形成した無機の酸化物）のような構造体となったものです。

この勢いなら実用化も可能かと最初は思ったのですが、よくよく見てみると〝便乗組〟が多く、似たようなものが並んでいます。有機物の一部を少し変えていくだけなら数限りなくできることになります。

というわけで、まだ研究段階で、実用の目処は立っていません。しかし、これから液化水素が普及していけば、実用にむけて研究が進んでいく可能性もあります。

というのは、水素吸着は、超低温で起こる現象です。マイナス２００℃近くまで冷やす必要があるので、液体窒素などを使うことになりますし、取り扱いも面倒です。この先、低温で貯蔵する液化水素が普及して、低温工学が広がっていったときには、またスポットが当たるかもしれません。

## 水素を有機物と反応させて液体にする「ＬＯＨＣ」とは

水素を貯蔵・輸送する際にネックとなるポイントは、常温で気体であるということです。そのために、温度を下げて液体にしたり、金属に吸蔵したり、さまざまな方法が考え出されているわけですが、ＬＯＨＣ（Liquid Organic Hydrogen Carrier）もそのひとつです。

ＬＯＨＣとは、水素を有機物と反応させて化合物の状態で貯蔵・運搬し、利用する際に再び化学反応で水素を取り出す、という方法です。「有機ケミカルハイドライド」または「有機ハイドライド」と呼ぶ場合もあります。ハイドライドとは、水素化合物の意味です。

常温で気体である水素を、有機化合物にして液体にしてしまえば、貯蔵・輸送が格段に容易になります。

ＬＯＨＣで、もっとも実証が進んでいる素材はトルエンです。トルエンは、かつてマニキュアの溶剤に使われていたこともある、身近な素材です。

そのトルエンを、水素と反応させると、ＭＣＨ（メチルシクロヘキサン）という物質になります。ＭＣＨは、修正液やインクなど文具用溶剤などに使用されています。常温常圧で液体であり、強い毒性もなく、腐食性《ふしょく》もありません。つまり、長期貯蔵が比較的容易なの

【LOHCによる輸送・貯蔵】

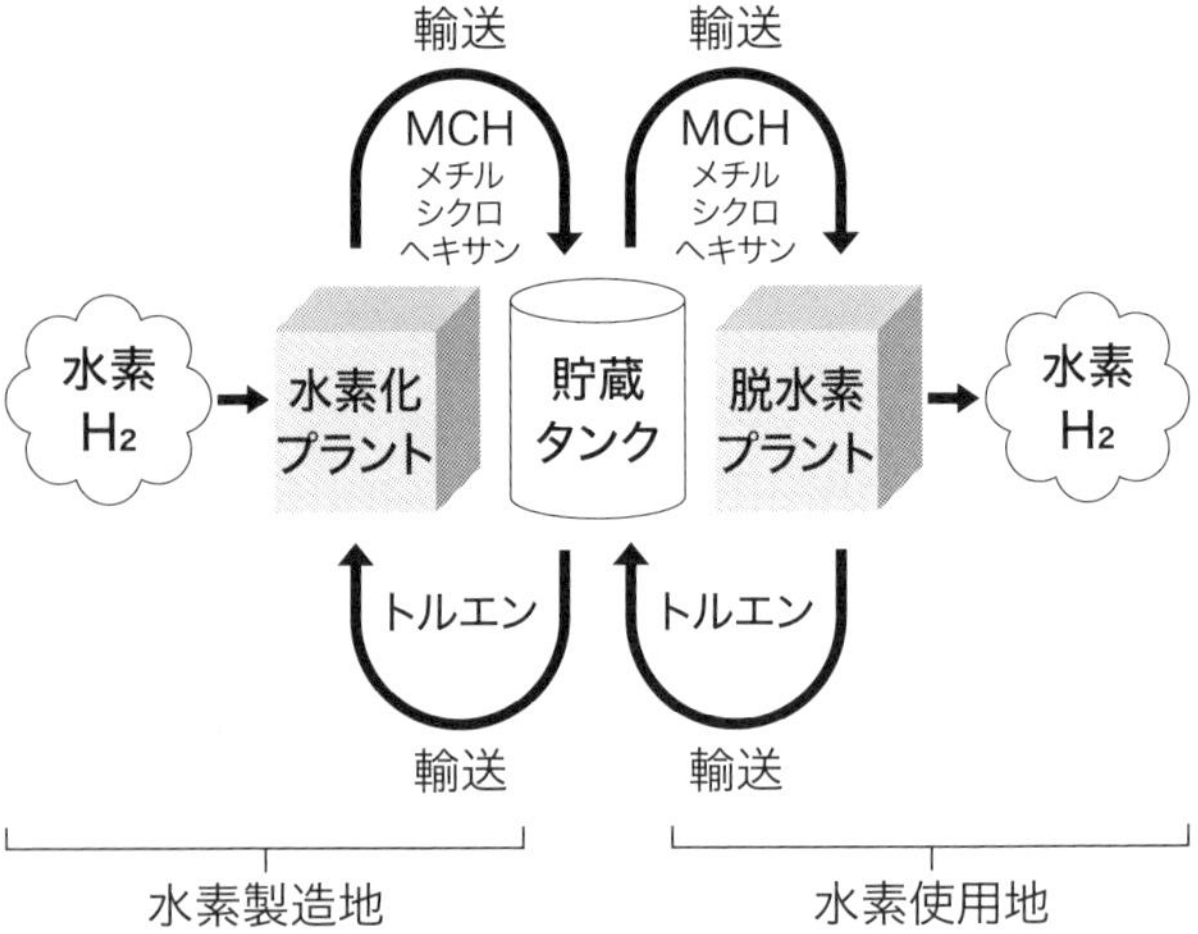


です。

しかも、水素をＭＣＨの状態で貯蔵・運搬すれば、気体で運ぶ場合に比べて容積は約５００分の１になります。

また、ＭＣＨは特別な貯蔵・輸送手段を必要としないということも大きなメリットです。石油を運ぶような既存のタンクやタンカーを流用することが可能で、大量に貯蔵しても高圧や低温などの特別な環境を用意する必要はありません。

このＭＣＨを、３５０～４００℃に加熱すると、水素を吐き出してトルエンに戻ります。

水素を製造して、トルエンと反応させ、ＭＣＨにして別の場所に輸送する。そこで水素を取り出して、再びトルエンを送り返す。こうすれば、循環型のサプライチェーンが完成します。
このMCHによるLOHCの実証実験を、日本の千代田化工建設が、世界に先駆けて実証実験を進めていて、「SPERA（スペラ）水素」と名付けて商標を獲得するなど、実用化をめざしています（149ページ参照）。

## 水素を含む「アンモニア」で代替する方法とは

アンモニア（$NH_3$）も、分子に水素（H）を含むため、水素の貯蔵手段として注目されています。常温で圧縮すると容易に液化するため、MCH同様、取り扱いが容易で、既存の設備や技術を流用できるという点も共通しています。

後述するように、サウジアラビアが化石燃料から水素を製造し、アンモニアにして輸出するプロジェクトを積極的に進めています（172ページ参照）。

ただし、アンモニアから水素を効率良く取り出す技術が確立されていないため、現状では、アンモニアのまま燃焼させる方法が有力になっています。

実はこのアンモニアの化合物であるアンモニアボラン（$NH_3BH_3$）も水素貯蔵物質として注目されています。分子量が小さい割に、水素がたくさん含まれていて、しかも固体であるため取り扱いが容易であることもメリットです。

また、このアンモニアボランが水素を放出する反応は室温で進行し、熱がほとんど介在しません。そのため、赤外線センサーが感知できないので、軍事用としての用途が考えられます。夜間にアンモニアボランに貯蔵した水素を取り出して、燃料電池を作動させても、敵に感知されにくいからです。

## どの方法がもっとも高効率なのか?

水素を貯蔵・輸送するには、エネルギーが必要です。実用化を考えるときには、それはコストとして計算されます。

たとえば、液化水素であれば、マイナス２５３℃まで冷却するためにエネルギーを投入する必要がありますし、ＭＣＨであれば、水素を取り出してトルエンに戻す際に、エネルギーを投入する必要があります。

液化水素、ＭＣＨ、アンモニア３者の比較をおこなった２０２０年

| | 高圧ガス | 液化水素 | LOHC | アンモニア |
|---|---|---|---|---|
| 主な用途 | 少量<br>日々 | 少量−中量<br>日々−週単位 | 大量<br>週単位−月単位 | 大量<br>週単位−月単位 |
| 足元のコスト($/kg) | 0.19 | 4.57 | 4.50 | 2.83 |
| 将来のコスト($/kg) | 0.17 | 0.95 | 1.86 | 0.87 |

出典：ブルームバーグNEF（Hydrogen Economy Outlook Key messages March 30, 2020）

のブルームバーグＮＥＦ社の試算によれば、３者ともトータルのコストは原料水素の３・５～４倍程度になる計算です。

また、表は、高圧ガス、液化水素、ＬＯＨＣ、アンモニアの現在と将来（２０５０年頃）の価格を比較したものです。これによれば、高圧ガスがもっとも安価ということになります。

## 水素を輸送するには、どんな手段があるのか？

**貯蔵した水素を運ぶ方法**

現在実用化されている貯蔵方法は、圧縮と液化です。

圧縮の場合は、通常の高圧ガスと同じように、約７$Nm^3$のガスを収容できる容量のシリンダに入れて運びます。水素ステーションで燃料電池車に充填するときには70ＭPaの超高圧にしますが、運搬中のシリンダの気圧は14・７ＭPaと、それほど高くありません。

これをトラックに載せて運ぶか、大量に運ぶときにはトレーラーで輸送します。トレーラーの場合は、最大で３１００$Nm^3$の水素を一度に運ぶことができます。

液化水素の場合は、可搬式超低温容器や小型コンテナに充填して運搬します。大量に輸送する場合は、タンクローリーを使います。タンクローリーの場合、最大約2万$Nm^3$（液量に換算すると2万４０００リットル）もの水素を一度に運ぶことができるので、1台で高圧ガストレーラー数台分の水素を運ぶことができる計算になります。

現在、海外で水素を製造して日本に海上輸送する実証実験がおこなわれていますが、このための水素運搬船がすでに完成しています（147ページ参照）。２０３０～40年には、液化水素16万キロリットルを輸送することができる、水素専用タンカーが就航する予定です。

また、ＬＯＨＣが実用化されれば、常温・常圧で輸送が可能ですから、圧縮したり超低温を維持したりする必要はありません。海路でも、通常のタンクに入れてコンテナ船で運べますし、陸路なら、ふつうのローリーで運搬が可能です。

さらに、水素吸蔵合金の場合は、直径数十マイクロメートルの金属の粒子をキャニスターというペットボトルくらいの大きさの容器に入れて運びます。缶コーヒーサイズの１５0ミリリットルボトル１本で約40リットルの水素を入れることができます。

## パイプラインで運ぶ方法

水素を気体のままの状態で、パイプラインで輸送することもできます。精油所などで自社消費用に製造している水素は、工場内のパイプラインを通って、別の設備棟へ送られています。日本では、水素専用の長距離パイプラインはまだありません。そもそも石油パイプラインも欧米に比べるとあまり発達していません。

ヨーロッパでは、古くから国境を越えて石油や天然ガスを運ぶためのパイプライン網が発達してきたこともあり、水素専用のパイプラインもすでに活用されています。アメリカでも、テキサスを中心に水素専用パイプラインが敷設されています。

日本で今後パイプラインが普及するためには、欧米に比べて厳しい材質などの規制を緩和するなどの措置が必要になるでしょう。

いま、日本では、水素をキャリアとして再生可能エネルギーを〝地産地消〟していくための実証実験がさまざまな規模で進められています。限られたエリア内であれば、水素製造・貯蔵施設から燃料電池による発電施設までパイプラインを敷設《ふせつ》することも可能ですし、あるいは、各家庭や施設に設置した燃料電池まで、直接パイプラインを引いて水素を届けることも可能です。

こうした短距離での水素の輸送には、パイプラインは有力な選択肢だと思います。

### 水素の輸送手段に優劣はあるか

水素にはさまざまな貯蔵方法・運搬方法があることをご理解いただけたと思いますが、どの方法がもっとも良いと一概にいえるものではありません。扱う量や貯蓄の期間、用途などに応じて使い分け、併用していくことになるでしょう。

現在、燃料電池車ＭＩＲＡＩの燃料は高圧水素が使われていますが、水素製造設備から水素ステーションまでは、高圧水素と液化水素の双方が使われています。

輸送についても、従来、産業用の水素は高圧水素が一般的でしたが、輸送・貯蔵量がより大量になるにつれ、次第に液化水素での取り扱いが増えているようです。今後も、より大量の場合は液化水素、反対に小口の場合は水素吸蔵合金と、使い分けることになるでしょう。

# 5章 社会や暮らしはどう変わるのか

## 水素で発電する「燃料電池」とは何か?

### 燃料電池の仕組み

水素をエネルギーに変換する方法は、大きく分けてふたつあります。燃料電池(化学反応で水素をエネルギーに変換)と、水素発電(水素を燃焼させタービンの回転で発電)です。

燃料電池の原理は、水電解(62ページ参照)の反応を逆向きにしたもの、と考えれば理解しやすいと思います。

水($H_2O$)にエネルギーを加えると、水素($H_2$)と酸素($O_2$)に分解される、という反応

【燃料電池の模式図】

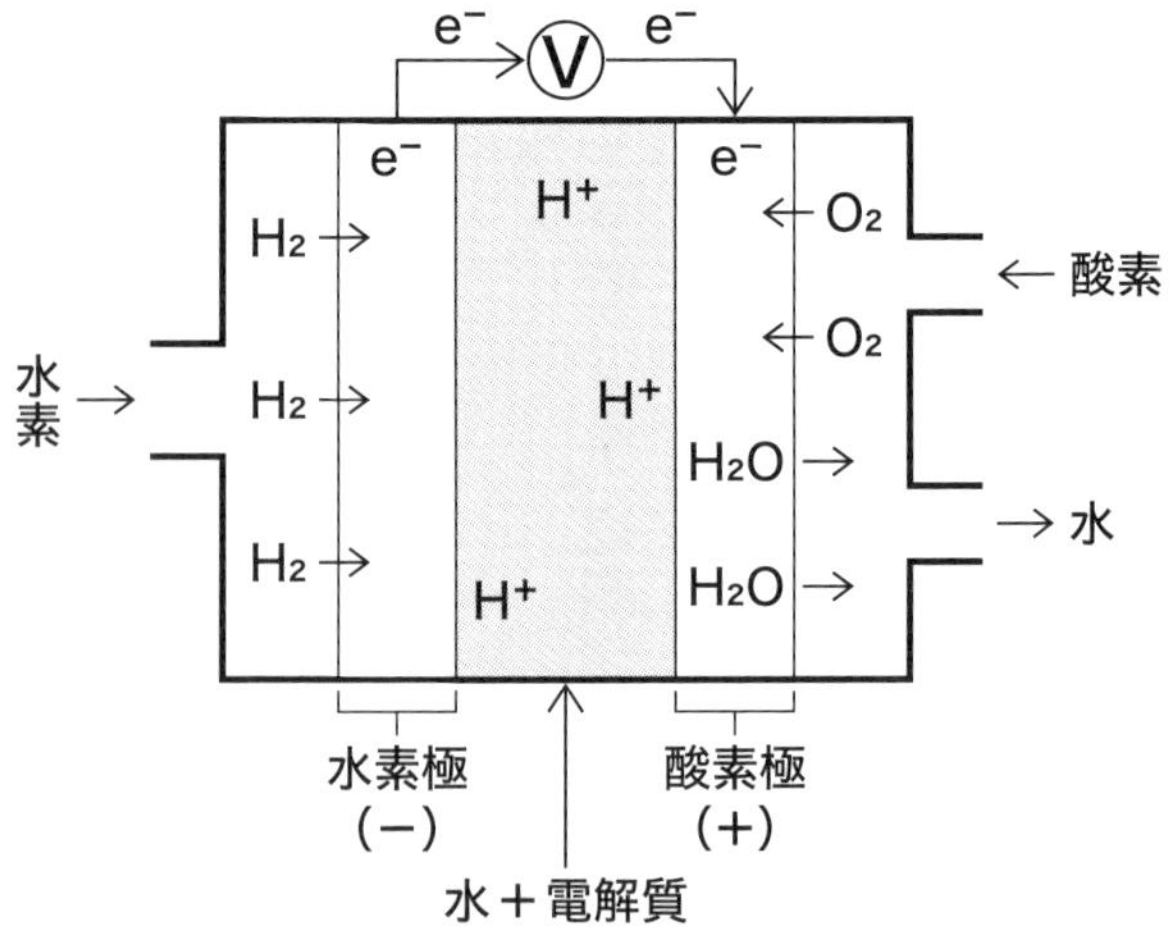


が電気分解でした。この反応を逆にすると、水素と酸素を反応させると水ができる、その際にエネルギーが発生する。これが燃料電池の原理です。

小学生のときに「レモン電池」をつくって遊んだことはありませんか。レモンにふたつの金属製の電極を刺してつなぐと、豆電球が点灯する。燃料電池の原理は、「化学反応で電気を生む」という点で、基本的にはあのレモン電池と同じです。

水素（$H_2$）は陰極で、水素イオン（$H^+$）と電子（e）に分かれます。水素イオンは電解質を通って反対の陽極側に移動します。電子は、別の回路を遠回りして陽極にむかって流れます。この電子の流れが、電流となるわけです。水素イオンと電子は、陽極側で再び出会い、酸素（$O_2$）と反応して水（$H_2O$）になります。

この流れを見てもわかるように、エネルギーを生み出す過程で$CO_2$は発生しません。排出するのは水のみです。「排出」といういい方は適切でないかもしれません。もともとは水を分解して生成した水素が、また、水に戻るだけ、ともいえるわけです。

燃料電池のもうひとつの特長は、途中で熱エネルギーに変換することなく、化学エネルギーを電気エネルギーに直接変換できるということです。そのため、原理的にはエネルギーを損失することなく、高効率でエネルギー変換が可能なのです。

**燃料電池の種類**

水素から化学反応で発電する燃料電池には、以下のような種類があります。

**・固体高分子形**（ＰＥＦＣ：Polymer Electrolyte Fuel Cell）

電解質に固体高分子膜を使用します。小型化しやすく、燃料電池車（ＭＩＲＡＩ）や家庭用燃料電池（エネファーム）に採用されています。

**・リン酸形**（ＰＡＦＣ：Phosphoric Acid Fuel Cell）

電解質にリン酸水溶液を使用します。主に工場やビルのコジェネレーションシステム（電力と熱を供給する）として利用されています。

**・固体酸化物形**（ＳＯＦＣ：Solid Oxide Fuel Cell）

電解質にセラミックを使用します。ここでは水素イオンの代わりに酸化物イオン（$O^{2-}$）が逆向きに、水素極まで移動します。１０００℃程度の高温で反応させることが必要で、室温のまますぐには使えないというデメリットがあります。それでもエネルギー効率が良く、大型化しやすいため、ドイツなどではこのタイプが主に研究・開発されています。

**・溶融炭酸塩形**（ＭＣＦＣ：Molten Carbonate Fuel Cell）

大型化が可能で大規模プラントにむいています。ちょっとした発電所くらいのエネルギー供給が可能です。電解質のなかを移動するのは水素イオンではなく、炭酸イオン（$CO_3^{2-}$）です。韓国では、このタイプの燃料電池を使った「水素発電所」の実証実験が計画されています。

**・アルカリ形**（ＡＦＣ：Alkaline Fuel Cell）

電解質にアルカリ性水溶液を使用します。高効率、高出力が可能ですが、空気中の$CO_2$で容易に劣化するため、スペースシャトルなどの特殊な用途に使用されます。

ちなみに「燃料電池」はFuel Cellの訳語です。「燃料」といっても燃やすわけではなく、水素と酸素を反応させます。また、「電池」というと、電気を貯めるイメージをもつ人もいるかもしれませんが、あくまで電気を生み出すものです。このような言葉のわかりにくさも燃料電池がいまひとつ社会に認知されにくい一因になっているのではないかと思っています。

## 燃料電池車〈FCV〉の実力とは

### 電気自動車と比較すると…

現在、燃料電池の実用化といえば、燃料電池車がもっともよく知られた使用例でしょう。自動車といえば、1970年代には排気ガスが大気汚染の原因のひとつとされ、また、1989年にはボルボ社が「私たちの製品は、公害と、騒音と、廃棄物を生み出しています」という新聞広告で自社の環境対策を訴えるなど、環境に負荷を与えるものと当然のように思われてきましたが、燃料電池車の登場で、そのイメージも大きく変わるかもしれません。

燃料電池車への水素充塡の様子（© 岩谷産業株式会社）

脱ガソリン車といえば、電気自動車（ＥＶ）が先行していますが、電気自動車が、電池を充電して走行するのに対し、燃料電池車は、圧縮水素を燃料として使用します。圧縮水素は、高圧タンクに貯蔵され、燃料電池に供給されます。ここで外気から取り込んだ酸素と反応し、電気を発生させモーターを回す、という仕組みです。

自動車の燃料に水素を使用することのメリットはいくつかあります。

まず、$CO_2$を排出しないということ。燃料電池から吐き出されるのは水だけで、走行中に車外に排出されますが、環境に無害です。また、一酸化炭素や窒素化合物などの有害物質も排出しません。

また、他の動力に比べてエネルギー効率がよいということも燃料電池車のメリットといえるでしょう。

エネルギー源を揃えた比較では、燃料電池車の総合的なエネルギー効率は40％。これは、ガソリン車19％の約2倍であり、電気自動車（ＥＶ）33％、ハイブリッド車34％よりも、優れた数字となっています。なお、これらの数値は、少し古い２０１３年の新聞報道に基づくものです。

いくら環境にいい、エネルギー効率がいいといっても、実際に〝気体〟を燃料にしてどのくらい走るのか、疑問に思う人もいるでしょう。

２０２０年に発表された第2世代ＭＩＲＡＩでは、前述したとおり、タンクが従来の２本から３本になり、容量は１４１リットルになり５・６キログラムの水素を充塡できます。航続距離８５０キロメートル、東京―大阪間を無補給で走破できます。

燃費はどうでしょう。初代ＭＩＲＡＩと電気自動車（ＥＶ）の日産リーフのカタログデータをもとに、電気と水素の比較を簡単に計算してみました。

ＭＩＲＡＩの場合、満タン5キログラムの水素を充塡でき、航続距離６５０キロメートル。単純計算で1キロメートル走るのに、０・００８グラムの水素を消費します。水素の売価はどこの水素ステーションでも1キログラム＝１１００円なので、０・００８グラムで、８・８円。1キロに対するコストは８・８円です。

同じ計算をリーフですると、満タンで40kWh（キロワットアワー）、航続距離400キロメートル。1キロ走るのに0・1kWhの電力を消費します。その売価は2円なので、1キロに対するコストは2円。

電気自動車に比べると、燃料電池車の走行コストは4倍以上ということになります。6章で再度触れますが、現状での水素エネルギーの弱点は結局のところ価格ということになります。

ちなみに、ガソリン車との比較はどうなるのか、計算してみましょう。

ガソリン車は具体的に車種を限定するのは難しいので、一般的に燃費性能が15㎞／ℓの場合、ガソリンの売価を150円／ℓとすると、1キロメートルを走るのにかかるコストは10円となります。

走行コストに関しては、電気自動車に大きく水をあけられているものの、ガソリン車との比較ではほぼ同じ、というのが、燃料電池車の現状です。

**水素ステーションの体制はどうなっているか**

水素燃料電池車に水素を供給する水素ステーションは、現在（2021年8月）全国に1

66か所あります。全国に3万か所あるガソリンスタンドと比較すると、安心できる数字とは言い難いでしょう。今後、燃料電池車を普及させていくためには、水素ステーションの増設が必要条件となるはずです。水素基本戦略では、2030年には900か所にまで増やすことを目標にしています。

水素ステーションの形態は、大きく分けて3つあります。

オンサイト型と呼ばれるタイプは、ステーション内で天然ガス、LPガス、メタノールなどを改質して水素を製造します。水素の供給には、製造装置の他、圧縮機、蓄圧器、冷凍機などの設備が必要となるため、広い敷地面積が必要です。

オフサイト型は、外部で製造した水素をトレーラーやローリーで運んで貯蔵しておき、燃料電池車に充填します。敷地面積が限られた場所でも開設が可能です。

また、大型トレーラーの荷台に水素供給のための設備一式を搭載した移動型ステーションもあります。週1〜2回と限定されるものの、複数の場所で水素供給が可能になります。

水素の充填は、ガソリンと同じように、車体横の水素注入口に水素ディスペンサーのホースのノズルを接続しておこないます。注入するのは圧縮水素ですが、タンク内に注入して膨張させると温度が上昇するので、あらかじめマイナス40℃にプレクールしてから充填

水素ステーションの水素ディスペンサー（©岩谷産業株式会社）

します。

主な事業者は、ガソリンスタンドでおなじみのＥＮＥＯＳ（エネオス）と、カセットコンロで有名な岩谷産業で、それぞれ50近い水素ステーションを運営しています。

ＥＮＥＯＳでは、石油精製所内の水素製造設備を利用して水素を製造し、高圧圧縮でオフサイトステーションに供給しています。また、既存のガソリンスタンドを併設する形で、増設を進めています。

岩谷産業は、戦前から工業用水素を扱うこの分野の草分けです。高圧圧縮がメインですが、液化水素の貯槽をもつステーションも扱っています。宇宙航空用も含めて、液化水素の国内シェアは１００％です。

液化水素の場合、マイナス２５３℃の超低温を維持し続けるのは難しく、外部からの侵入熱によって、わずかずつですが気化（ボイルオフ）が発生します。このボイルオフを、水素吸蔵合金によって回収して、圧縮水素として燃料電池車に充填する仕組みができています。

現状では、水電解による製造原価が高いため、商用の水素は、ほとんどが化石燃料由来ということになります。ただし、東京五輪・パラリンピック開催期間中に限って、関係車両（東京五輪・パラリンピックでは関係車両に燃料電池車を採用、164ページ参照）が充填する都内の7つのステーションに、山梨県の「P2G（パワー・トゥ・ガス）システム」で、太陽光によって製造したグリーン水素を供給しました。

また、2021年8月にリニューアルオープンした、ENEOSの横浜旭水素ステーションでは、太陽光による電力と同社グループから調達する再エネ電力を使用して水電解で製造するグリーン水素を、オンサイトで提供しています。

水素ステーションでの水素の販売価格は、一部を除き1100円／kgです。これは前述したとおりガソリン車の燃料価格と〝ほぼ同等〟ですが、普及を目的にあえて設定した価格で、とても採算がとれる価格ではないと思います。

今後、燃料電池車がさらに普及し、日常的に充填する車が増えない限り、水素ステーシヨンの運営は、開設のための初期投資も含めて、政府の補助金なしでは成り立たない厳しい状況だといえるでしょう。

**燃料電池車は、今後どれだけ普及するか**

それでは、今後ガソリン車に代わって普及していくのは電気自動車で、燃料電池車は淘《とう》汰《た》されてしまうのかというと、そんなことはないと思います。今後の燃料電池車の可能性については、「ヘビーデューティ」がキーワードだと考えています。

つまり、トラックやバスなどの大型車両では、ガソリン車はもちろん、電気自動車よりも燃料電池車のほうがメリットがあると考えられるのです。

理由のひとつは、燃料電池は小さくて、軽くて、パワーが出せる、ということ。乗用車くらいのサイズではほとんど差が出ませんが、より大きなパワーを出そうとすると、エンジンやバッテリーはそれに比例して機材自体も大きく、重くならざるを得ません。しかし、燃料電池では、パワーを2倍にするために必ずしも2倍の大きさにする必要はなく、小型でも高出力が可能です。

もうひとつの理由は、大型車両は商用がほとんどであることです。

水素ステーションに停車する燃料電池バス（右）（©岩谷産業株式会社）

輸送に使われる大型トラックは、たいていは決まったルートを走ります。大型バスも、路線バス、観光バス、長距離バスなど、走るルートが決まっています。ということは、燃料電池車の場合にネックとなる水素ステーションの問題がない、ということです。あらかじめルート上の充塡場所を確認しておけばよいですし、必要であれば、自前で設置したり、定期的な利用を条件に供給事業者と交渉して設置してもらうこともできるはずです。

また、ＭＩＲＡＩで検証したように、航続距離が長い、というメリットもあります。トラックやバスは、長い距離をひたすら走り続けるのがふつうですから、その間、燃料補給の回数が少なくて済むのはメリットです。

さらに、燃料補給の時間が短くて済むのは、とくに電気自動車と比較した場合、大きなメリットです。ＭＩＲＡＩの場合、約５キログラムの充塡にかかる時間は約３分。大型になってタンク容量が大きくなっても、10分を超えることはないでしょう。電気自動車では、１時間以上の充電時間が必要になるはずです。

とくに、輸送効率が利益に直結するような長距離輸送の場合、燃料補給時間の短縮は大きなメリットになります。

すでに、燃料電池を使用した大型トラックについては、トヨタ自動車と日野自動車が共同で開発を進めていて、２０２２年には走行実証をおこなうと発表しています。

さらに、本田技研工業といすゞ自動車、ボルボとダイムラートラックなどが、共同研究を進めるなど、各社が活発な動きを見せています。

また、バスについては、２０１８年にトヨタ自動車が燃料電池バス「ＳＯＲＡ」を販売開始。すでに都営や京急、東急などで導入が進んでいます。中国では、燃料電池で走るバスが大量に導入されています。

今後、脱炭素化が加速するにつれ、ガソリン車は消えていくことになるでしょう。すでに、欧米諸国では、将来的にガソリン車の新車販売を禁止する方針を打ち出す国が増えています。

将来、ガソリン車に代わるのは、水素を燃料とする燃料電池車なのか、それとも電気自動車なのか。

わたしは、どちらかが淘汰されるのではなく、棲み分けが進むのではないかと思っています。わたし自身は長年水素の研究をしてきたので、「これからのモビリティ燃料も水素だ」といいたいところですが、やはり一般の乗用車は電気自動車が主となる可能性があると思います。そして、大型で走行ルートが決まっている場合は水素、というように棲み分けが進んでいくのではないでしょうか。

## 鉄道・船舶・航空機への水素利用は進むか?

### ディーゼル車の代替として有力な鉄道

自動車以外のモビリティについては、やはり大型のものから燃料電池が普及していくと思います。

たとえば、鉄道。日本ではまだ商業化されたプロジェクトはありませんが、海外ではすでに水素を燃料とした列車が走っています。

２０１８年、ドイツでは水素燃料電池で動く世界初の旅客電車が運行をはじめたそうです。航続距離は１０００キロメートル、水素を１回充塡すれば１日中走行が可能だということで、燃料電池のメリットをよく活かしたシステムだと思います。

ドイツではディーゼル機関車が走る路線がいまも多く残っているため、燃料電池への置換はメリットが大きいでしょう。日本はほとんどの路線で電化が進んでいるので、架線（空中の送電線）が不要な燃料電池車にあまり必要性を感じていないようです。

幹線は無理でも、ローカルからやってみたらどうかと、以前、鉄道会社に提案したことがありますが、送電線のないところは難しいとのことでした。なにかトラブルがあった場合、ＳＯＳが出せない、救援列車が走行できない、というのです。

それでも、脱炭素化の流れは鉄道にも及んでいるようで、現在ＪＲ東日本が、トヨタ、日立製作所と共同で、燃料電池によるハイブリッド車両の開発を進めていて、２０２２年には実証実験がおこなわれる予定です。

### スコットランドで先行する船舶への利用

燃料電池は、船舶の動力源としてもメリットがあります。すでにイギリスのスコットランドでは、河川を運航する小型船舶で燃料電池を動力としたものが運航しています。また、同じスコットランドですが、水素を燃料とする世界初の海上カーフェリーが２０２１年には進水する予定です。

日本ではまだこの分野の実証実験は多くありません。２０１６年に東京海洋大学が燃料電池船「らいちょうＮ」で試験航行しました。全長12・6メートルで70kWの燃料電池を搭載しています。

船舶の燃料は重油が一般的ですが、$CO_2$排出量削減の動きのなかで、燃料に含まれる硫黄分濃度規制が強化されつつあります。そのため、ＬＮＧ（液化天然ガス）などの代替燃料に切り替える動きが進んでいます。

今後、船舶への水素供給の仕組みが整備されれば、燃料水素を動力源とする船舶も開発されるかもしれません。

**航空機はエアバス社が実用化に向けて開発中**

大型のモビリティといえば、航空機の水素燃料化も検討されています。飛行機の燃料として水素を使うことは、すでに20世紀初頭から検討されていました。しかし、１９３７年の飛行船・ヒンデンブルグ号の炎上事故によって「水素は危険」という認識が高まり、その後研究は停滞してしまいました。

しかし、ここ数年、水素を燃料として〝空を飛ぶ〟プロジェクトが次々と始動しています。

航空機大手のエアバスは、水素を燃料とした旅客機を2035年までに実用化させると発表しています。現在、3機種の設計を進めていて、そのうち最大のものは200人の乗客を乗せて3200キロメートル以上の航行が可能としています。無補給でパリ―ロンドン間を3往復できる計算になります。

水素燃料航空機を開発するスタートアップ企業・ゼロアビアは、ビル・ゲイツ氏も出資する企業ですが、2020年、〝航空機史上初〟の水素燃料電池による飛行を成功させたと発表しています。しかし、実際の動力は燃料電池とバッテリーの併用で、大半の動力を後者から得ていることがわかっています。実用化にはもう少し時間がかかりそうです。

日本でも、経済産業省が脱炭素技術の開発を支援する「グリーンイノベーション基金」のうち、水素やアンモニアを燃料とする次世代航空機・船舶の2事業に最大560億円を配分する方針を打ち出しました。日本にはエアバスのように航空機を製造するメーカーはありませんが、エンジンなどの主要部品を三菱重工業、川崎重工業、ＩＨＩなどが手がけています。

こうした企業に対して開発援助をおこなうことで、日本の技術が〝水素で飛ぶ航空機〟の実現に貢献することになるかもしれません。

## 小型モビリティではスクーターで開発成功

モビリティ燃料として実用化されているのは、現在のところ圧縮水素がほとんどです。将来的に大型化した場合、液化水素も検討されるだろうと思います。

一方、コンパクトで手軽に扱える水素吸蔵合金を利用すれば、まったく違った可能性が開けると思います。

この水素吸蔵合金のモビリティ燃料利用は、古くから研究されていて、１９７０年代、アメリカの実業家・ビリングスが、水素吸蔵合金を搭載した小型の水素エンジンバスを試作しています。これはＭＩＲＡＩのように燃料電池でモーターを回すものではなく、水素を燃焼させて動力に変換する仕組みのエンジンでした。開発はしたものの、ビジネスにはならなかったようです。

ＭＩＲＡＩの燃料は、圧縮水素を使っていますが、水素吸蔵合金は気体圧縮よりも小さくなる、つまりたくさんの燃料（水素）を積めるというメリットがあるものの、金属なので重いという問題があります。それで乗用車には適さなかったのではないかと思います。

ちなみに２０２１年５月にトヨタが、24時間耐久レースに水素エンジンを搭載したカローラを投入したことは、ニュースでもとりあげられ大きな話題となりました。ガソリンの代わりに圧縮水素を燃焼させて走らせるタイプで（もちろん$CO_2$は排出しない）、野心的な試みといえるかもしれません。

スクーターでは水素吸蔵合金と燃料電池を組み合わせたものがすでに開発されています。開発したのは、台湾のＡＰＦＣＴ（アジア・パシフィック・フューエル・セル・テクノロジーズ）という企業で、50cc／１２５ccクラスのスクーターです。

水素吸蔵合金を充填したカートリッジを差し替えることで、簡単に燃料補給ができる仕組みになっています。カートリッジは小さくて取り扱いが簡単なうえに、低圧なので安全というメリットもあります。

このように水素吸蔵合金のモビリティ燃料利用に関しては、現在は実証止まりですが、将来的には実用化の可能性は高いと思っています。

## アメリカではフォークリフトが大活躍

もうひとつ、〝燃料電池の良さを活かした乗り物〟に、フォークリフトがあります。フォークリフトには、エンジン式とバッテリー式のふたつのタイプがあり、ひと昔前はエンジン式がほとんどでしたが、最近は環境意識の高まりから、バッテリー式が主流になりつつあります。このバッテリー式をベースに、動力に燃料電池を搭載しているのが、燃料電池フォークリフトです。

バッテリー式に比べて燃料電池の良いところは、低温に強いということ。バッテリーは低温に弱いので、冷凍・冷蔵品を扱う倉庫などでは、燃料電池のほうが適しているといえます。

また、水素は充塡時間が約3分と短いのもメリットです。バッテリー式の場合、充塡に6～8時間かかるので、通常はスペアのバッテリーを用意しておいて交換しながら使用します。しかし、電池だけでも1トン近くの重量があり、交換するのもなかなか大変な作業なのです。その点、燃料電池車なら、一休みしている間に充塡できてしまうので、作業効率が上がります。

燃料電池フォークリフトの販売は、国内では2016年からはじまっていますが、普及は160台程度。一方、アメリカではすでに2万5000台が導入されています。とくにウォルマートとアマゾンの小売大手2社が導入したことで、急速に普及が進んでいます。

## 宇宙探査ロボットへの実装に期待

少し未来の話をすれば、水素は宇宙にも進出しようとしています。宇宙での資源開発をおこなうispace（アイスペース）という企業が、燃料電池を動力とする月面探査ロボットの開発を計画しています。

地球上でなくても、水があれば水素は製造可能です。太陽光を利用して水から水素を分離し、これを燃料にして燃料電池を作動させることができるわけです。

月面には、地球と同じ形の「水」が$H_2O$の形で存在していなくても、OHならあるはずです。鉱物にOHという形で含まれている可能性があります。ふつう、OHがふたつあれば、酸素の1個を表面に残して$H_2O$を取り出すことができます。OHは安定した構造ですが、$H_2O$を経由しないでも水素（$H_2$）と酸素（O）に分離することができるかもしれません。適切な技術が見つかれば、月面で水素（$H_2$）を得ることも不可能ではありません。

もしもそれが可能になれば、月面の探査だけではなく、もっと遠く、たとえば火星にむかう探査船が月で水素を補給する、という使い方も実現するかもしれません。

というように、水素の可能性を語りだすとキリがないのですが、当面はまず地球のこと、カーボンフリー、ゼロエミッションを実現するのが先決で、月にいくのはもう少し先になりそうです。

## 家庭やコミュニティのための燃料電池とは

**普及が進む家庭用の燃料電池「エネファーム」**

エネファームは家庭用燃料電池で、２００９年から発売されています。２０１４年にＭＩＲＡＩが発売されたときには、「水素元年」などと話題になりましたが、エネファーム発売はそれほど大きなニュースになりませんでした。エネファーム＝水素燃料電池という認識があまり浸透していないようです。

実際、エコキュートやエコジョーズと並んで「省エネできる給湯設備」のひとつという認識が一般的なようです。

実際に給湯機能もありますが、電力を供給できるのはエネファームだけです。そもそも

「エネファーム」という名称は、エネルギーを生産する農場（farm）という意味でつけられています。

エネファームは、複数の事業者が統一の名称で販売しています。現在は、パナソニック製、アイシン製、そして京セラ製の３機種になっています。水素燃料電池という認識は進まなかったものの、２０２０年度末には累計販売台数39万台に達しています。

エネファームは、燃料電池ユニットと、貯湯ユニットから構成されます。

燃料電池ユニットでは、家庭に供給される都市ガスやＬＰガスを改質して水素を取り出し、燃料電池で電気エネルギーに変え、電力を供給します。

貯湯ユニットでは、改質、発電の過程で出る熱を回収して温水をつくり、必要に応じて供給します。

エネファームの燃料電池は、ふたつのタイプがあります。

パナソニック製は固体高分子形（ＰＥＦＣ）で、90℃くらいの温度で稼働するため、こまめな運転が可能です。発電効率は、約40％。

一方、アイシン製は固体酸化物形（ＳＯＦＣ）で、発電効率52％と固体高分子形よりも高いのが特徴ですが、７００～１０００℃と稼働温度が高く起動に時間がかかるため、24時間連続で運転します。京セラ製のものもＳＯＦＣです。

発電の効率だけを見ると、火力発電の場合の40％とほぼ同じですが、熱を有効利用することで、総合効率は80％以上になります。

現行のエネファームは、水素を製造するために都市ガス、ＬＰガスなどの化石燃料を使用しているので、そこで$CO_2$が発生することになります。

現在、各家庭に水素を供給して、水素で直接運転するタイプの純水素燃料電池システムが実証実験の段階まで進み、多くの研究フィールドで運転されています。これが家庭に導入されれば、$CO_2$排出量を大幅に減らすことができます。また、ガスを改質する装置が不要になり、設備が簡素化されるだけでなく、価格も下がるでしょう。そうなれば、よりいっそう普及が進むかもしれません。

余談ですが、外国人から見ると、エネファームの普及ぶりは日本人の環境意識の高さを表しているように見えるようです。欧米には、もっと大規模な燃料電池はありますが、各家庭が自己負担で購入して設置するようなものはないのだそうです。

エネファームの価格は年々下がっていますが、それでも１００万円前後の投資になります。回収するにはおよそ10年弱かかる計算です。

「個人の投資としてはかなりの高額なのに、これだけ導入する人が多いのは、それだけ日本人は環境意識が高いからだろう」と、外国の人からよく感心されます。

**コミュニティで活躍する燃料電池**

自動車や家庭用などだけでなく、もう少し大きな規模で、長期にわたって水素を貯蔵する実証もおこなわれています。

たとえば、ロボットが接客することで有名な、佐世保のハウステンボスにある「変なホテル」では、「エネルギーの地産地消」を目的として、再生可能エネルギーを水素に変換して貯蔵し、各部屋の電力や給湯に使用しています。

使われているのは東芝の$H_2One$というシステムで、昼間の太陽光で電力をつくり、水素にして貯蔵し、夜間に電力として供給することが可能。また、太陽光の発電量が多い夏につくった水素を貯めておいて、冬に電力に変えるなどの使い方もできます。

このように、公共施設や地域全体でエネルギーを有効活用するスマートコミュニティと呼ばれる試みにも、大型の燃料電池システムが活用されています。

## 水素を燃焼させる「水素発電所」の未来は?

### 燃料電池との発電方法の違い

水素発電は、燃料電池とは異なり、水素を燃焼させて電力を得る方法です。燃焼とは、酸素と反応することなので、反応としては燃料電池と同じということになります。ただし、水素発電では、化学エネルギーを燃焼によって熱エネルギーに変え、その熱でタービンを回し、その回転を利用して電気を起こすという仕組みなので、エネルギーの取り出し方が異なります。

タービンの回転を電力に変える原理は、従来の火力発電とまったく同じで、化石燃料を燃やすか、水素を燃やすかの違い、ということになります。

燃料電池と比較した場合、効率では燃料電池が有利です。化学エネルギーを直接電気エネルギーに変える燃料電池に対して、水素発電は、熱エネルギーに変える工程が加わるのでどうしてもロスが大きくなります。

別の言い方をすると、熱はエネルギーとしての価値が低い、ということになります。なんでも燃やしてしまえば最後は熱になります。熱にしてしまう前に、電気エネルギーの形で利用すれば、そこで〝もうひと仕事できる〟ということだと理解してください。

一方、大規模な電力を得ようとすると、水素発電のほうが適しています。仕組みとしては火力発電と同じなので、理論上は火力発電と同程度の発電能力が可能です。

本書の冒頭で紹介したように、2030年の電源構成の目標として、水素・アンモニア1%が計上されています。この1%は、水素を「燃料」とした水素発電を想定した数字です。たとえば、太陽光や風力などの再生可能エネルギーを一次エネルギーとして、水素に変換し、水素を「エネルギーキャリア」として活用するような使い方は、ここには含まれていません。

前書きで「わずか1%、ですがほんとうは、1%ではない」と書いたのは、そういう意味があるのです。

### $CO_2$削減への貢献度は？

水素発電と燃料電池はエネルギーを取り出す原理は異なりますが、$CO_2$を排出しない、という点では共通しています。

現実的に、目の前の$CO_2$排出量を削減しなければいけない、という課題に対して、水素発電は有効な選択肢のひとつと考えられます。

水素発電の利点は、現行の火力発電の技術を流用できるところです。天然ガス火力発電所の燃料の一部を水素に置き換えると、そのぶんだけ$CO_2$の発生を減らすことができます。家庭用の燃料でも同様で、ドイツでは、従来の天然ガスの供給インフラに水素を混入させる、ということをはじめています。化石燃料に10％の水素を混ぜて燃焼させれば、$CO_2$排出量を10％減らせることになります。

それでは、水素の供給量さえ確保できれば、すぐにでも化石燃料から水素に移行できるのかというとそうはいきません。技術的な課題もあります。

水素は燃焼温度が化石燃料よりも高くなります。現行の火力発電所はだいたい1400℃くらいです。通常の耐熱材料は、そのくらいが開発の限界です。水素発電ではそれよりも高い温度になるはずなので、それに耐えられる材料や仕組みを開発する必要があります。

100％水素だけを燃焼させる水素専燃発電は、まだ実用化されていません（神戸空港島で実証運転中、161ページ参照）。オランダで、2025年末に天然ガスのタービンを1基、水素専燃に切り替えるプロジェクトが進んでいます。

また、水素ではなく、アンモニアを燃料に使おうという計画もあります。

アンモニア（$NH_3$）には、水素原子（H）が3個含まれています。また、常温で少し加圧すれば液体となって輸送しやすいため、水素を窒素（N）と反応させてアンモニアにしてしまえば、大量に長距離を運ぶことができます。このアンモニアから水素を取り出すにはエネルギーが必要なので、アンモニアのまま燃焼させてしまおうという発想です。

東京電力・中部電力が設立したJERAが、アンモニア発電の2021年実証実験をおこなっています。

また、ノルウェーの企業で肥料世界大手であるヤラ・インターナショナルが、オーストラリアで再生可能エネルギーを使ってアンモニアを製造し、日本の火力発電所に向けて輸出するという計画を発表しています。

このアンモニアも、専焼ではなく、石炭などと混焼する方法が考えられています。アジアでは、いまでも石炭による火力発電が多く残っていますが、これらの施設でも水素やアンモニアの混焼が進めば、$CO_2$を多少は減らせる可能性があります。

地球温暖化はたしかに深刻な問題ですが、現実問題として、いますぐに$CO_2$をゼロにできるわけではありません。まずはできるところから、0か1かではなく、0・1でも減らしていく。そして、何年か後にはゼロをめざした取り組みを実行するための布石とする。そういう使い方も十分にあると思います。

## 素材の原料としての使い道は?

### さまざまな工業用素材に利用

エネルギー以外にも水素の用途は実に多様です。水素は化学工業原料としてさまざまなところで使われているのです。

たとえば、石油精製や苛性ソーダ製造で使われていることはすでに述べましたが、メタノール合成や洗剤などの化学工業材料としても使用されます。

たとえば、清掃工場などの焼却で発生した$CO_2$を回収して、水素と反応させてメタノールにして再利用することもできます。

また、半導体、太陽光パネル、光ファイバー、液晶パネルなどの製造にも欠かせません。現代のテクノロジーになくてはならない化学材料のひとつなのです。コークスの代わりに水素を用いて製鉄するプロセスが開発されていますが、これが実用化されると、将来は製鉄も化学工業に分類されるかもしれません。

## ヘリウムに代わる冷却材としての利用法

水素を冷却材として使用することも可能だと思います。

通常、超低温の冷却材にはヘリウムが使用されます。液体ヘリウムは４K（マイナス２６９℃）ですから、冷却材には最適なのです。このような超低温技術は、たとえば超伝導には欠かせません。

超伝導とは、非常に低温の状況下で金属または合金の電気抵抗がゼロになる現象で、病院での画像診断に使われるＭＲＩなどで実用化されています。

この超伝導装置に使用するヘリウムが、近年不足していて入手困難になっています。そこで、ヘリウムの代わりに、液化水素を使用する試みが進められています。幸い、従来考えられていた温度よりも、もう少し高い温度で超伝導が可能な物質も発見されています。20K（マイナス２５３℃）の液化水素でも、十分に超伝導の冷却材として使えることがわかったのです。入手しにくく高価なヘリウムの代わりに水素が使われるようになれば、超伝導のコストも下がるので、さまざまな分野で普及が進むかもしれません。

## 電気と水素を運ぶ、夢の「超伝導送電線」

この超伝導で電気を運ぶという構想も有望です。現在のように空中を通る送電線は、途中で放電するのでロスが出ます。日本など先進国では、最近はロスが少なくなってきましたが、途上国ではまだロスが大きいままです。イラク、ハイチなど50％を超えている国もあります。インドでも19％といわれています。

これを超伝導にすれば、ほとんどロスなく送電することができます。

送電線を二重にして、中心を超伝導線、その周りを液化水素で囲むようにすれば、超伝導での送電が可能になります。外気との温度差がある場合は、その外側に真空の層をつくることで保冷効果が高まります。そのような二重三重の構造にしたパイプを張り巡らせたら、電気も水素も両方同時に運べることになります。

この構想は、電気化学者のジョン・O'M．ボックリスの著書を1977年に翻訳出版した際、わたしが担当した章に明示されていました。邦題は『新エネルギーシステム―太陽エネルギーと水素への道―』です。このことをきっかけに、わたしは夢のようなことを時々いっていたのですが、当時は誰も聞いてくれませんでした。でもいまは、それが技術的に可能なところまできているのです。

このように、「水素社会」にはいろいろな側面があって、水素の用途は熱や電気ばかりではありません。

前述したように、石油の精製（脱硫）にも使われていますし、ガラス製造、半導体製造などにも化学原料として使用されています。また、マーガリンのような食品にも使用されています。水素は、思ったより身近で可能性のある素材であるということを、知ってほしいのです。

# 6章 水素エネルギーのメリットと課題とは

## エネルギー政策から見た「水素」のメリットとは

水素社会について改めて考えてみると、経済産業省がエネルギー政策の基本方針としている「3E＋S」（安定供給・経済性・環境・安全性）という概念がやはり基本になると思います。この視点で水素を見ていくと、どんなことがいえるでしょうか？

### Energy Security（安定供給）

日本のエネルギー全体での自給率は、現在9・6％とけっして高くありません。水素に関していえば、水素は二次エネルギーなので一次エネルギーが必要です。だから、自給率の向上に貢献しないのではないかという声もあります。しかし、水素はいろいろな方法で製造することができます。日本にその技術があるということになれば、それは交渉力になります。〝足元を見られる〟ことなく、資源国とも対等の交渉が可能になります。

たとえば、後述するオーストラリアの褐炭《かったん》から水素を製造して日本に運ぶプロジェクトでは、日本の技術が大きく貢献しています。資源はオーストラリアで産するものですが、石炭としては品質が低く、そのままでは輸出できないのでグローバルな利用価値はほとんどありません。それを日本の技術で水素に変えることで、価値を創造しているともいえます。

このケースなどは、技術で安定供給を生み出している好例といえるでしょう。

**Economic Efficiency（経済性）**

いくら環境に良いものでも、高すぎてコストに見合わなかったら普及しません。この点については、後述しますが、水素エネルギーの普及のネックになっているのが価格です。水素の価格をどこまで下げることができるのかが、いまのところ水素社会実現へむけての大きな課題となっています。

**Environment（環境）**

$CO_2$を排出しないクリーンエネルギーであることが、まさに水素が注目される理由でもあります。

### Safety（安全性）

３のＥはすべて、Ｓ（安全性）の上に成り立っている。エネルギーである以上、安全を担保するのは絶対に必要だ、というのが、この「３Ｅ＋Ｓ」の考え方です。結論からいうと、わたしは、水素の安全性はガソリンや灯油に近いものと考えています。詳しく見ていきましょう。

## 水素エネルギーは安全といえるのか？

### 福島原発事故で起きた水素爆発とは

エネルギー全体の話をするときに、安全性といえば、まず原子力発電所を想起しますが、これからの水素社会に目をむけたときには、水素は安全なのかという議論が当然出てくるでしょう。

東日本大震災では、福島第一原子力発電所でメルトダウンが起こり、水素爆発が発生しました。冷却水を失ったことにより燃料棒が露出して高温となり、金属製の被覆管《ひふくかん》が破損して水蒸気と反応し、水素が発生、爆発したと推定されています。

これが「水素は爆発する可能性があるので、危険だ」という印象を与えてしまったとすると残念です。これはむしろ原発の構造、安全対策の問題と捉えるべきなのです。

わたしは原子力の専門家ではありませんが、原子力発電には沸騰《ふっとう》水型と加圧水型の2種類があることを無視して、一緒くたに安全性について議論するのは乱暴だと考えます。

加圧水型は、簡単にいえば、水の入った配管を原子炉の燃料棒に巻きつけて熱交換する。これは安全性の高い方式だと思います。

沸騰水型は、熱が出ているところに水を直接かけて一気に蒸発させて発電する。これはやはり危険性が高いのではないでしょうか。

今後、原発が新たに建設されるかどうかわかりませんが、議論が必要なところでしょう。

## ヒンデンブルグ号炎上から生まれた誤解

もうひとつ、事故の話をしましょう。1937年のヒンデンブルグ号の炎上事故です。水素を詰め込んだドイツの飛行船ヒンデンブルグ号が、大西洋を横断してアメリカ大陸に到着したのち、ニュージャージー州レイクハースト付近で突然出火して炎上。墜落の様子は、映像や写真に残っていますし、映画にもなった歴史的惨事です。

この事故がきっかけで水素エネルギーの研究が一時中断したことはすでに述べたとおりです。

そもそもヒンデンブルグ号は、ヘリウムで浮かんで飛ぶはずでした。当時ドイツはアメリカからヘリウムを輸入していたのですが、アメリカが輸出禁止にしたために、ドイツが急遽《きゅうきょ》水素に切り替えたのです。数回のテスト飛行はしているものの、十分な安全性を検証しないまま強行した、という背景があります。

また、事故の原因は、水素ではなく、船体外皮に塗られた塗料であることがわかっています。酸化鉄とアルミニウムを混合したテルミット塗料は静電気を貯めやすく、燃えやすいという性質がありました。

十分な安全性を検証していたら、事故は起こらなかったかもしれませんし、そもそも水素が使われることもなかったかもしれません。

**エネルギーとしての水素で事故が起きにくい理由**

水素は爆発しやすい、というイメージがありますが、これは、中学の理科の授業からきているかもしれません。水素は「燃えやすい気体」と習わなかったでしょうか。

たしかに、気体の性質として「燃えやすい」ことは事実です。しかし、実際にエネルギーとして使用する環境下で水素が燃えやすいかというと、必ずしもそうではありません。

水素の重要な性質として、もうひとつ、拡散しやすい、というものがあります。もしも、水素がボンベや貯蔵施設から漏れたとしても、軽くて拡散しやすいので、すぐに上方に拡散してしまいます。漏洩《ろうえい》直後は引火の危険がありますが、足元や地面付近にとどまることはないため、すぐに危険度は下がります。だから、水素を扱う施設の多くは上部が開いた吹き抜け状の構造になっていて、万一水素が漏れても溜まらないようになっています。

東日本大震災のときに、気仙沼《けせんぬま》で油が漏れて海一面が燃えたことがありましたが、水素ではあのようなことは起こりにくいといえます。

だからといって、水素は安全だといいたいわけではありませんし、実際、水素は危険です。危険ですが、安全に使いこなすことができるということなのです。

そういう意味では、天然ガスの主成分のメタンも同じです。可燃性ガスはすべて危険物であることに変わりありません。取扱注意は原則です。水素の安全性を確認するための実験で、静電気で火をつけようとしたらつかなかったという話もあります。

では、燃料電池車やエネファームはどうかというと、これは十分な安全対策を施したうえで製品化されている、と考えてよいでしょう。危険物を扱うガソリンスタンドが、厳しい安全基準のもとでつくられているので、地震の際にもっとも安全な施設であるのと同じです。

自動車事故はどうでしょうか。

燃料電池車が事故を起こすと、爆発して燃え上がるのかというと、そんなことはありません。簡単には燃えないし、爆発もしないのです。水素タンクは、70MPaの超高圧に耐えられるようにできていますし、万一、水素が漏れても拡散しやすいので、むしろガソリン車より、燃料に引火する可能性は低いはずです。自動車や道路交通に関する研究・試験をおこなっている日本自動車研究所が、さまざまな実験を通して安全性を検証しています。

またエネファームが、なにか事故を起こしたという事例も報告されていません。

将来的に水素の普及が進んだ社会では、いまわたしたちがガソリンや灯油を扱うような感覚で、水素と付き合うことになるのではないでしょうか。

## エネルギー運搬手段としてのメリットとは

$CO_2$を排出しないクリーンなエネルギーである、というだけでなく、水素というエネルギーキャリアを活用することは、社会にとって5つの大きなメリットをもたらすはずです。

**【メリット1】再生可能エネルギーの普及促進**

水素エネルギーについては、まだまだ懐疑《かいぎ》的な見方をする人も少なくありません。「水素をつくるのに電気が必要だなんて矛盾しているのではないか。電気から水素をつくってまたそれを電気にすると、そのたびに目減りしてしまうのではないか。電気はそのまま使うのがいちばん理にかなっているのではないか」というのが〝懐疑派〟の論旨です。

それは、まったくそのとおりです。

では、水素より他のエネルギー源のほうが有望か、といえば、現実にはさまざまなケースがあるので、理想のとおりにはいかないこともあるわけです。その理想どおりにはいかない、いくつかの課題を、水素をエネルギーキャリアとして活用することで、解決につなげることができるのではないかと考えているのです。

たとえば、いま、化石燃料への依存から脱し、再生可能エネルギーの開発を進めていくことが世界の共通課題となっています。エネルギーキャリアとしての水素は、そのために重要な役割を果たすものとわたしは思っています。

その理由のひとつは、エネルギー供給と需要の調整です。

太陽光や風力などの自然エネルギーは、どうしても季節の気候や日々の天候に左右されがちです。たとえば、太陽光による発電は日差しの強い正午前後をピークとする山形のカーブになります。一方、電力需要は施設によって異なりますが、日没後にピークにくる場合もあります。電力は、基本的にはリアルタイムに消費しなければ無駄になってしまいます。そこで、電気エネルギーを保存しておくために、水素というキャリアを活用することで、再生可能エネルギーがより使いやすくなります。

余った電力で水素をつくり、電力が必要なとき、必要な場所に運搬して、水素から電力に変換するのです。それによって水素の普及率も上がるはずです。普及率が上がれば、コストも下がり、さらに普及が進むという好循環が生まれます。

水素は一次エネルギーではなく、二次エネルギーです。再生可能エネルギーや化石燃料などの一次エネルギーと肩を並べるものではなく、むしろ、それらのエネルギーのキャリアとして、使い勝手をよくしていくもの。そして、それは供給の不安定性という自然エネルギーのデメリットをカバーして、風力発電や太陽光発電などの普及に貢献するものと考えています。

【メリット2】 僻地《へきち》離島での利用

来《きた》るべき水素社会の見取り図として、グローバルなサプライチェーンを前提とした巨大なシステムを描きましたが、逆に小規模な自給自足的なシステムも構築可能であるところが、水素のユニークなポイントです。

太陽光と水があれば、水素を発生させることが可能です。そこに燃料電池があれば、電力にして利用できます。

たとえば、陸の孤島といわれるような僻地や、本土と切り離された離島など、送電施設が整備されていないために、思うように電力が使えない地域があります。

長崎県の五島《ごとう》列島では、再生可能エネルギーを活用したエネルギーの自給自足を推進していて、洋上風力発電で得られた電力の余剰分を水素に変換しています。変換した水素は、島内で走る燃料電池車に充塡したり、MCH（メチルシクロヘキサン、83ページ参照）に変換して定期船で隣の島に運んだりしています。隣の島では、MCHから再び水素を取り出し、電力として活用しています。

水素をエネルギーキャリアとして、エネルギーの自給自足を実現しているわけです。

全世界では、電気のない生活をしている人は10億人以上いるといわれています。

もちろん、その原因は貧困であったり伝統文化であったりさまざまなので、一概にはいえませんが、少なくともそういう地域の人たちに電力を届けるひとつの手段に、水素はなり得るのではないかと考えています。

また、燃料電池で電力を発生させると、同時に水も発生します。これは化学的に合成された純度の高い水なので、飲料水としても利用できます。

たとえば、電気も水道も届いていないような場所に、燃料電池を設置して、水素を届ければ、電力も飲み水も供給できるようになります。

実際、こうした計画がいま、カザフスタンで発案されています。

【メリット3】電力インフラの平準化

僻地や離島でなくても、水素は電力インフラに貢献することができます。わたしが提案しているのは、まず電力価格の等高線を引いてみる、ということです。

話をわかりやすくするために、北海道を例にシミュレーションしてみましょう。

たとえば、十勝《とかち》平野のあたりではあまり送電線が整備されていません。したがって、電力を届けるための原価は、この地域では高くなります。反対に都市部では、需要家が集中して送電設備が行き渡っているので、電力原価は比較的低く抑えることができます。

仮に十勝平野の真ん中にポツンと一軒家を建てて住もうとしても、送電線がなければ電気を使えません。そこでわざわざ送電線を引こうとすると、やはり高くつきます。

そのように、地域によって電気の原価は異なるはずです。そこで、等高線を引いてみれば、「このあたりは電気が高い」「このあたりは低い」ということが一目でわかるわけです。

しかし、電気料金に差をつけるわけにはいきません。社会インフラなので、大きな格差が生じてはいけないわけです。

そこで、発想を変えて別の電気の調達方法を考えてみます。たとえば、小水力発電。十勝平野のあたりはいくつもの湖や河川があって水が豊富です。そこで、必要な電気を発電して、水素にして、運ぶ。そうすれば、地域全体の利便性を高めることができます。しかもクリーンです。

このような地域では、リープフロッグ的に新しいシステムが普及する可能性もあります。まったく新しい仕組みであるがゆえに、既存のインフラが脆弱《ぜいじゃく》なところで飛躍的に普及する、という現象です。

たとえば、多くの新興国で、もともと固定電話が普及していなかったために携帯電話が急速に普及する。あるいは、道路が整備されていない僻地に、ドローンによる緊急輸送が普及する、という現象が、水素でも起こり得るのです。電気料金の等高線と再生可能エネルギーの等高線を組み合わせて考えれば、水素による電力インフラの平準化が可能になり、ビジネスが生まれます。

**【メリット4】未利用資源の活用**

水素というキャリアによって、未利用の資源を活用できる、というメリットもあります。

たとえば、南米大陸のアルゼンチン南部にパタゴニアという地域があります。ここは年中強風が吹いていて、世界一風が強い地域といわれるところです。なかでもチュブット州、サンタクルス州のあたりは、アンデス山脈から吹き下ろす偏西風が、毎秒十数メートルの強さで途切れることなく吹いています。

この気候は、風力発電には最適です。しかし、この地域の人口は両州合わせてもわずか80万人程度です、大規模な風力発電施設をつくっても、いまのままではその電力を使う人がいません。だから、つくる必要がないわけです。

しかし、水素というエネルギーキャリアがあれば、ここで発電したエネルギーを、別の場所に運んでそこで使うことができます。たとえば日本で使うこともできます。

日本からすれば地球の裏側ですから、送電線を引いてもってくるわけにはいきません。しかし、液化水素にしてタンカーで運べば、それが可能になります。日本だけでなく、ヨーロッパやアジア各国、北アメリカなどへも、液化水素を運んでいけば電力を供給することができます。

水素エネルギー協会は、この計画をアルゼンチンに提案し、2005年から調査団を送っているのですが、基礎データは蓄積されたものの、ビジネスがなかなか進んでいません。日本がやらないなら、どこか他の国がはじめるかもしれません。

いま、世界中の国が、化石燃料由来のエネルギーを減らして、再生可能エネルギーを増やそうと努力しているなかで、風力や太陽光は大切なエネルギー資源です。そしてまだまだ利用されていない資源がたくさんあります。水素というキャリアを活用して、上手にサプライチェーンを構築していけば、こうした未利用の資源を活用できるはずです。

とくに日本は、太陽光や風力などの自然資源が十分にあるとはいえません。グローバルなサプライチェーンの構築は大きなメリットがあるはずです。とはいうものの、なんでも海外から日本にもってくるというだけでは、地球規模の解決策にはなりません。

パタゴニアから液化水素を北米やアジアにも供給するように、中東で積み込んだ水素を、日本にもってくるまでの間に通過するアジア諸国に供給する、ということも考えてよいのではないでしょうか。インドネシアやフィリピンには、小さな島がたくさんありますから、需要はあるでしょう。供給する側もビジネスになるので、双方にメリットのある仕組みだと思います。

**【メリット5】災害への備え**

水素は、災害等万一の場合の備えにも活用が可能です。最近は、地震や洪水などの自然災害、テロなどの際に、重要な業務を続けられるように備えておくBCP（事業継続計画：Business Continuity Plan）を重視する企業が増えています。

たとえば、病院には通常のコンセントから離れたところに赤いコンセントが設置されています。これはいわゆる非常用電源で、通常の電源とは別系統で、建物ごとに無停電の電源装置が接続されています。万一、外部からの電源供給が途絶えても、絶対に停電しないようになっているのです。

アメリカでは、このように周波数が安定していて絶対に停電しない電力を提供する、アンシラリーサービスというシステムがあります。

こうした用途にも、病院や商業施設、オフィスビルやマンションなどで、水素エネルギーは活用できるでしょう。

また、災害時の避難場所となるような公共施設でもよいでしょう。

神奈川県川崎市のＪＲ武蔵溝ノ口《むさしみぞのくち》駅では、ＢＣＰ対策として、東芝の自立型水素エネルギー供給システム$H_2$Oneを導入しています。これは、佐世保の「変なホテル」でも使われているものと同じシステムです。

普段は、コンコースやトイレの照明などに電力を供給しながら、災害時にライフラインが寸断された場合に備えて、常時タンクに水素を蓄えています。万一の場合は、水素を電気エネルギーに変え、同駅を一時滞在場所として活用できるようになっています。

## 「水素社会」実現への課題とは

水素社会を順調に実現にむかわせるためには、４つの大きな課題をクリアしなければならないでしょう。

**【課題1】ブルーからグリーンへ**

水素は、$CO_2$を排出しないクリーンエネルギーといわれますが、正確には「燃焼時に$CO_2$を排出しない〜」というべきでしょう。最近の報道記事などを見ても、そのような書き方をしているケースが多くなっている気がします。

$CO_2$に言及するのであれば、水素は二次エネルギーですから、一次エネルギーになにを利用するか、ということが問題になります。すなわち、水素をつくる過程で、なにに由来するエネルギーを使って水素をつくったか、ということです。

同じ問題は電気自動車（EV）にもあります。クリーンなイメージのある電気自動車ですが、電池に充電する電気を、化石燃料を使って発電した電力に頼っていたとしたら、一概にクリーンとはいえないのです。

太陽光、風力、地熱、水力など$CO_2$を排出しない一次エネルギーで製造する水素は「製造時にも、燃焼時にも」$CO_2$を排出しない「グリーン水素」と呼ばれます。

一方、化石燃料から製造した水素は、製造時に$CO_2$を排出しています。後述するように、このCO$_2$を地下に貯蔵したり再利用したりすることで、実質的CO$_2$排出をゼロに調整したものは、「ブルー水素」と呼ばれます。

また、製造時に出るCO$_2$を再利用せずに排出しているものは、「グレー水素」と呼ばれる場合があります。

いま、脱炭素社会実現にむけて注目が集まっている水素ですが、そうであるならば、ブルー水素よりもグリーン水素であることが望ましいといえます。

しかし、実際に動いている大規模なサプライチェーンの実証実験は、「ブルー水素」、「ブルーアンモニア」がほとんどです。

今後、どのようにしてグリーン水素の比率を増やしていくことができるかが、ひとつの課題です。

**【課題2】発生したCO$_2$を排出しない**

太陽光や風力などの一次エネルギーからつくった電気を、水素をエネルギーキャリアとして利用することで有効活用する、というのが「日本の『水素社会』の一形態」（35ページ）でも示した理想の姿ですが、実際にはいますぐに化石燃料をゼロにする、というわけにはいきません。将来的には、そのような理想の「水素社会」の実現をめざすにしても、当面は「移行期」と位置付けて、いわゆる「ブルー水素」といわれるような、化石燃料を一次エネルギーとした水素も使用していくことになります。

製造の過程で$CO_2$が発生するけれども、カーボンニュートラルに少しでも近づけたい、ということで考え出されたのがCCS（Carbon Capture & Storage）、カーボンを捕まえて貯蔵する、という方法です。

具体的には、発生した$CO_2$を地下深くに圧入します。$CO_2$を大気中に出さないよう、廃棄物として埋めてしまおう、という考え方です。

地下にはいくつもの地層がありますが、砂岩層《さがんそう》は比較的隙間《すきま》が多く$CO_2$を蓄えることができます。一方泥岩《でいがん》層は、硬く隙間がないので$CO_2$を通しません。そこで地下深くの泥岩層の下にある砂岩層を見つけて、そこに$CO_2$を送り込んで閉じ込めてしまう。これが、いまおこなわれているCCSです。

おこなわれているといっても、いま世界で十数件あるプロジェクトは、現在、環境への影響などを精査・調査中のものがほとんどです。

日本でも、北海道の苫小牧《とまこまい》で、製油所で水素を製造した際に副生した$CO_2$を、苫小牧沖合の海底下に圧入する実証実験を２０１２年にスタートしています。

わたしの考えでは、地中に埋めるといっても量に限界があるのではないかと思っています。何年か経ったら、おそらく満杯になってしまうでしょう。実際、苫小牧のプロジェクトでも、目標量は当初から30万トンと決められていて、２０１９年に目標量に達したので圧入は停止しています。

## CCSから再利用するCCUSへ

地中に埋めてしまうという方法を、いつまでも続けるわけにいかないのは明らかです。

それで、いまはCCUS（Carbon Capture and Utilization and Storage）という方向に変わってきています。新たに「Utilization＝利用」が入っているところが大きな違いで、カーボンを捕まえて貯めておくだけでなく、再利用もしましょう、という発想です。

利用の方法には、直接利用する方法と、化学原料などにリサイクルする方法があります。

直接利用で注目されているのは、ＥＯＲ（Enhanced Oil Recovery）という方法です。石油が出にくくなってしまった油田に、$CO_2$を送り込むことで地下の石油の性状を変化させて回収率を上げるというもので、１９７０年代にアメリカで開発された手法ですが、近年、ＣＣＵＳの視点から再び注目を集めています。

また、$CO_2$は、そのまま炭酸ガスとして利用することもできます。たとえば、川崎市の「川崎水素戦略」では、廃プラスチックの水蒸気改質によって水素を製造する際に発生する$CO_2$を、炭酸飲料の形で再利用しています。

$CO_2$を、化学原料としてリサイクルする方法もさまざまな研究が進められています。たとえば、$CO_2$と水素（$H_2$）を反応させれば、ＣＯ（一酸化炭素）が得られます。この反応は、水蒸気改質で水素を製造するときの、逆むきの反応になります。このＣＯはさまざまな形で化学原料として利用することができます。

このように$CO_2$をリサイクルすれば、カーボンニュートラルに一歩近づくことができます。

### ＣＣＵＳで問題は解決するのか？

こうした$CO_2$のリサイクルについても、ＣＣＳ同様、全面的に賛成できるものではないとわたしは考えています。あくまで、移行期として一時的におこなうのであればいいのですが、そのままずっと続けるのは難しいのではないでしょうか。

なぜなら、$CO_2$を化学反応で別の物質に変えるには、大きなエネルギーを投入する必要があるからです。実証実験の段階では可能だとしても、将来的に継続できるようなビジネスになるのかどうか、おそらくそれぞれのプロジェクトできちんと計算された展望があってのことでしょうが、少し心配な気もします。

また、最近は新たにCCUS-readyまたはCCS-readyという言葉が使われるようになりました。readyとは、準備はできているという意味です。$CO_2$が発生しているけれども、大気中には排出せずに捕まえている、という状態です。要は、$CO_2$を排出せず、まず回収する実証実験をやっている最中で、今後、なんらかの方法で再利用するプランはあります、といっているわけです。回収だけで終わってしまわないように、しっかりと次のステップに進めてほしいものです。

**【課題3】サプライチェーンの構築**

水素をエネルギーキャリアとして活用するには、そのもととなる大量の一次エネルギーをどこから調達するか、ということが課題になります。

カーボンニュートラルを実現するためには、再生可能エネルギーを活用することが必須ですが、現時点では、化石燃料から得られるブルー水素を活用せざるを得ません。

水素＝エネルギーキャリアという従来にないファクターが加わることで、グローバル規模で可能になったエネルギー調達の仕組みを、今後どのようにサプライチェーンとして構築していくのか。現在、３つの大きな取り組みが進められています。

## オーストラリアの褐炭《かつたん》を水素に

現在進行中の大規模プロジェクトのひとつが、オーストラリアの未利用化石燃料〝褐炭〟で水素を製造する「日豪褐炭水素サプライチェーンプロジェクト」です。

川崎重工業、岩谷産業、シェルジャパン、電源開発の４社が設立したHySTRA（ハイストラ、$CO_2$フリー水素サプライチェーン推進機構）が主体となっています。

褐炭とは、水分や不純物が多い低品質の石炭で、発熱量が低く、その割に重くて輸送しにくいため、採掘場に近い火力発電所で利用する以外にほとんど利用価値がない、未利用化石燃料です。

オーストラリアのビクトリア州で採掘したこの褐炭から、液化水素を製造します。これを海上輸送船に載せて神戸に運びます。

液化水素運搬船「すいそ ふろんてぃあ」(HySTRA提供)

川崎重工業は、２０２１年に世界初の液化水素運搬船「すいそ ふろんてぃあ」を完成させました。全長１１６メートル、総トン数約８０００トン。マイナス２５３℃の液化水素を75トン運ぶことができます。２０３０年の商用化をめざしています。

ところで、褐炭は化石燃料なのになぜ「$CO_2$フリー」と称しているのか、と疑問に思った方もいるでしょう。

これは前述のＣＣＳで、発生した$CO_2$は地下に圧入する計画になっています。ですから結果的には$CO_2$を排出しないということになっているのです。

まだ実証実験の段階で、環境への影響などの精査を進めています。オーストラリア側としても、それまで利用価値が低かった褐炭を日本が買ってくれるのだから、協力はしてくれるでしょう。

しかし、この仕組みも、当面の措置ということならいいでしょうが、将来的にずっと続けられるようなサステナブルな仕組みとはいえないと考えます。

見方によっては、不要な廃棄物を現地に押し付けて、日本は水素だけをもっていくのか、という批判も、将来的には起こらないとも限りません。

ですから100％賛成とはいえないのですが、まず、どんな形であってもビジネスとして走りだして、徐々により良い形に置き換えていけばいいと思っています。そういう意味では、川崎重工業には頑張ってほしい。ドイツのリンデ社、フランスのエアリキード社と並んで、液化水素のグローバル企業になってほしいのです。

川崎重工業はすでに、自社のための液化システムは成功させています。自社のものは自社でつくれる、それだけでも価値ある進歩ですが、次はこの技術をグローバルなサプライチェーンの構築に活かしてもらいたいものです。

### 天然ガスからつくるSPERA（スペラ）水素

2015年から千代田化工が進めているのが、ブルネイのLNG（液化天然ガス）を利用するプロジェクトです。

まず、ブルネイで産出するLNGを水蒸気改質して水素を製造します。この水素をトルエンと反応させMCH（メチルシクロヘキサン）にして、タンカーに積んで川崎に運びます。川崎の脱炭素プラントでMCHから水素を取り出し、事業用燃料として供給します。一方、残ったトルエンは、再びタンカーでブルネイに運びます。

2020年に実証を終了していて、10か月間で100トン超を輸送。世界で初めての国際間水素大量輸送を、安全かつ安定的に達成した、と報告しています。商用化が実現しフル稼働すれば、年間210トンの輸送が可能となります。

千代田化工はこの水素を「SPERA水素」として商標化しています。このスペラ水素は、一次エネルギーはLNGなので水素製造時に$CO_2$が発生します。ですから、グリーン水素ではなくブルー水素ということになります。

千代田化工は、2019年にJXTGエネルギー（現在のENEOSホールディングス）、東京大学、オーストラリアのクイーンズランド工科大学と共同で、太陽光のエネルギーを直接MCHに変換する新しい技術を開発しています。

従来のプラントでは、水を電気分解して水素をつくり、これをトルエンと反応させてMCHに変換する、というふたつのステップが必要でした。しかし、この新しい方法では、太陽光発電で得た電力で、水とトルエンから水素を経由せずに直接MCHに変換します。ステップがひとつ少ないぶん、コストが削減できます。この技術が実用化されれば、スペラ水素はブルーからグリーンに変わる可能性があります。

実証実験では、製造したMCHを日本に運んできて、水素を取り出すことに成功しました。$CO_2$フリーの水素が、0・2キログラム。ペットボトル1本分ですが、これが大量にできるようになったら、ほんとうに画期的なことだと思います。

**サウジアラビアのアンモニア**

もうひとつ、サウジアラビアの〝ブルーアンモニア〟も大きなプロジェクトです。世界的に石油の需要が減少傾向にあるなか、これまで石油による収入に頼っていた中東の産油国は、新たな基幹産業を模索する試行錯誤《しこうさくご》をしています。

サウジアラビアのブルーアンモニアも、そのひとつで、天然ガスを一次エネルギーとして水素を製造し、窒素と反応させてアンモニアにして日本に運ぼうというプロジェクトです。その発想は、水素をトルエンと反応させMCHにして運ぶスペラ水素と同じで、気体である水素を運びやすくするために、液体のアンモニアに形を変えているわけです。スペラ水素と異なるのは、日本に輸入した後は水素に戻さず、アンモニアのまま火力発電の燃料として使用する計画であること。アンモニアのみを燃焼させてタービンを回すアンモニア専焼発電も開発中ですが、天然ガスや石炭に混ぜて混焼させる方法が現実的なプランとして検討されています。

天然ガスを水蒸気改質する際に、$CO_2$が発生しますが、これは排出せずに回収し、一部をEORに活用。地下の石油貯留層に注入して石油の回収率を高めるために使う予定です。また一部は化学原料としてエタノールなどの生産に使われます。

アンモニアも、水素と同じように、燃焼時に$CO_2$を排出しないクリーンな燃料として注目されています。

製造時に$CO_2$が発生しますが、トータルではCCUSによって排出量はゼロになるので〝ブルー〟アンモニアです。最初はとにかくブルーからはじめて、ゆくゆくはグリーンに変えていくという計画です。

天然ガスは、自然と蒸発してしまうものなので、蒸発して大気中に出てしまえば温室効果ガスになります。かといってこれを回収してもLNGにするほどの量にはならないのであれば、水素に変えてアンモニアにすれば利用価値があるはずです。まずはスタートすることが大切で、一度スタートしてしまえば、後は太陽光などクリーンな一次エネルギーへの移行を検討していけばよいでしょう。

いま、石炭火力発電に対する風当たりは、世界的に強くなっています。電源構成の石炭の比率が高いと、もう先進国とはいえない、というくらいの風潮です。日本はこの石炭の比率が高いことで、世界から非難される立場にあります。

石炭にアンモニアを混焼する技術は、日本が独自に開発しているものです。窒素化合物の排出を抑えながら、20％のアンモニアを混焼することに成功しています。これにより、$CO_2$排出量を20％削減できるとしています。

しかし、一方で一部の環境保護団体から、石炭火力の延命のための技術ではないか、と批判が出ていることも事実です。

**【課題4】競争力のある価格**

水素社会がほんとうに実現するのか、エネルギーキャリアとしての水素がほんとうに普及するのか、その最大の課題はやはり価格だといえるでしょう。

いまの水素は、高級スーパーで売っているオーガニックのニンジンのようなもので、価格は八百屋さんで売っているふつうのニンジンの数倍です。良いものである、ということはみんなわかっているけれども、買う人が増えない、という状況です。

誰もがふつうに水素を使うようになる、ガソリンではなく水素で走るクルマを選ぶようになるには、もっと〝ふつうの〟価格まで下げる必要があります。

政府の描いたロードマップでは、２０３０年には、販売価格を現在の１００円／Nm³から30円／Nm³まで引き下げるとしています。将来的には20円／Nm³が目標です。ここまでいけば、いまのＬＮＧとほぼ同じレベルになります。

この販売価格30円／Nm³をもとに逆算していくと、調達原価は12円／Nm³程度でないと採算がとれません。しかし現状では80～１７０円／Nm³といわれているので、かなり大幅なコストダウンが必要になります。

問題は、どうやってこれだけのコストダウンを実現させるのか、ということです。

それにはまず、水素の生産量を増やすことが重要です。

**いかにして水素の価格を下げるのか**

政府が２０１７年に発表した水素基本戦略では、水素の製造量を２０３０年には30万トンにするといっています。当時の製造量が０・０２万トンですから、驚くべき数字です。ところが、２０２０年末に、政府はこの数字を３００万トンと修正しました。突然、目標を10倍に引き上げたわけです。

その背景には、オーストラリアの褐炭、サウジアラビアのブルーアンモニアなど、いくつかの大規模なサプライチェーンの実用化が見えてきた、ということがあると思います。それを計算に入れて積み上げた数字でしょう。パタゴニアの風力をはじめ、海外にはまだまだ未利用のエネルギー資源が眠っているので、それらを水素エネルギーにして運んでくれば、もっと水素の価格は下がるはずです。

水素は、燃焼させてしまうより、燃料電池でエネルギーを取り出し、循環させて使うほうが、その性質を活かせるという考えは変わりません。水素をエネルギーキャリアとして活用してこそ、水素社会の理想の姿が見えてくると思います。しかし、いまは普及推進のためにも水素発電を大いに進めるべきでしょう。

政府が掲げる年間３００万トンという数字を、水素発電に換算して検証してみましょう。

現在、水素専焼で発電できるのは、神戸にある水素発電設備だけです。これは発電所というよりも、分散型を想定した発電設備に近いもので、出力は１０００kW、投資額は20億円です。

一方、原発の投資額は、長い間、1基で約2000億円でした。つまり、原発1基で、この水素発電装置が100基できる計算になります。

そうすると、単純計算でトータル10万kW。一方、原発1基の発電量は、100万kW。

つまり、小型の水素発電をたくさんつくっても、他のエネルギーにはコスト的に対抗できません。もっと大きな施設をつくって、スケールメリットを追求していく必要があるでしょう。

たとえば、10万kW規模の施設を想定してみましょう。

政府が最初に目標にした30万トンを電力に直すと、だいたい100万kWに相当します。10万kWクラスの設備なら10基ということになります。それが300万トンに修正されたのだから、100基必要ということになります。これだけあれば、政府の描いた目標を達成することができます。

しかし、残念なことに、そんなにたくさんの水素発電施設ができるという計画を聞いたことはありません。おそらく、前述のブルーアンモニアを石炭に混ぜて燃焼させることで、火力発電に利用することを想定していると思います。

それでも、移行期にはそれでよいと思います。水素を大量に使う、そのために大量の水素を調達する仕組みができれば、水素の価格は下がります。そうなれば、水素燃料電池もいま以上に普及するはずです。街に水素燃料自動車が走るようになり、バスやトラックの燃料電池車も増えるでしょう。そうすれば、水素ステーションも採算がとれるようになり、増設も進むかもしれません。

街のあちこちで燃料電池車や水素ステーションを目にするようになると、人々の意識も変わってくるでしょう。まず、やってみることが大切です。

## 実証実験はどこまで進んだか？

先に紹介した、グローバルなサプライチェーンと並行して、ローカルなネットワークで水素エネルギーをつくり、運び、利用する〝地産地消〟の実証も、各地で進められています。グローバルなネットワークから調達する大量の水素は、主に水素発電に使用され、ローカルなネットワークでは主に燃料電池で活用されることになります。

本章の最後に環境省が主導する8つの〝地産地消〟プロジェクトと、ふたつの重要なプロジェクトをご紹介します。

**①京浜臨海部での燃料電池フォークリフト導入とクリーン水素活用モデル構築実証（京浜臨海部）**

横浜市風力発電所「ハマウィング」の電力を水素に変え、簡易型水素充塡車で輸送し、横浜市および川崎市の青果市場、冷蔵倉庫、物流倉庫などのＦＣ（燃料電池）フォークリフトに水素を供給するシステムです。環境温度が低くても支障なく作動できる燃料電池の特長がよく活かされています。トヨタ自動車が代表事業者となっています。

**②家畜ふん尿由来水素を活用した水素サプライチェーン実証事業（北海道鹿追町《しかおいちょう》など）**

家畜ふん尿のメタン発酵で得られるバイオガスを水蒸気改質することで水素を製造し、水素ステーションに供給するほか、カードル（高圧ガス容器）で輸送したのち、純水素燃料電池により電気と温水を利用しようというもので、チョウザメ養殖施設、マンゴー温室、酪農家、ばんえい競馬場などが需要先となっています。代表事業者は、大阪の総合ガス企業エア・ウォーターです。

**③苛性ソーダ由来の未利用な高純度副生水素を活用した地産地消・地域間連携モデルの構

**築（山口県周南《しゅうなん》市）**

苛性ソーダ工場から出る副生水素を、液化水素ローリー、カードル、パイプラインなどさまざまな方法で需要先に送り、FCV（燃料電池車）やFCフォークリフトに充填する他、スポーツジム、地方卸売市場、道の駅、漁港などでの電気および温水利用に提供しています。代表事業者は、大手総合化学工業メーカーのトクヤマです。

**④使用済みプラスチック由来低炭素水素を活用した地域循環型水素地産地消モデル実証事業（神奈川県川崎市）**

使用済みプラスチックを改質して水素を製造し、パイプラインでホテルに供給しています。送られた水素は、純水素燃料電池で電気と温水を利用する他、水素トレーラーで水素ステーションに供給し、FCVに充填することもおこなわれています。代表事業者は、昭和電工です。

**⑤小水力由来の再エネ水素導入の拡大と北海道の地域特性に適した水素活用モデルの構築実証（北海道釧路市・白糠町《しらぬかちょう》）**

小水力発電所の電力による水電解で得た水素をトレーラーやカードルで需要地に運び、FCVの動力や酪農施設、福祉保健センター、温水プールなどの電気および温水として利用しています。代表事業者は、東芝エネルギーシステムズです。

**⑥富谷《とみや》市における既存物流網と純水素燃料電池を活用した低炭素水素サプライチェーン実証（宮城県富谷市）**

太陽光発電による電力を電解水素に変換し、水素吸蔵合金を内蔵する容器によって輸送し、この容器を需要先に設置し、純水素燃料電池を通して電気および温水を供給しています。代表事業者は、日立製作所です。

**⑦再エネ電解水素の製造および水素混合ガスの供給利用実証事業（秋田県能代《のしろ》市）**

風力発電で得た電力を蓄電池にいったん貯蔵し、下流の需要量に合わせて電解で水素を製造し、熱量の高い秋田県産の天然ガスにこの水素を混ぜてカロリー調整したうえで、このガスを都市ガス配管で一般家庭に届けて燃焼利用します。代表事業者はNTTデータ経営研究所です。

### ⑧建物および街区における水素利用普及を目指した低圧水素配送システム実証事業（北海道室蘭市《むろらん》）

風力発電で得た電力を電解水素に変換し、車載タンク内の水素吸蔵合金に吸蔵させて温浴施設に輸送します。輸送した水素は、設置された水素吸蔵合金タンクに移し替えられ、純水素燃料電池を介して電力や温水に利用されます。さらに、水素吸蔵合金からの水素放出反応の熱源として、未利用熱を有効利用することも計画しています。代表事業者は、大成建設です。

以上は、環境省が主導するプロジェクトですが、その他にも、水素社会実現にむけたプロジェクトがいくつも進行しています。

## 水素発電を成功させた「水素スマートシティ神戸構想」とは

神戸市では、2018年から川崎重工業や大林組などが参画して「水素スマートシティ神戸構想」を推進しています。先に紹介した、オーストラリアの褐炭で水素を製造する「日豪褐炭水素サプライチェーンプロジェクト」は、この「水素スマートシティ神戸」と連動

神戸ポートアイランドに設置された実証プラント(川崎重工業株式会社提供)

水素専焼ガスタービンの実証試験プラント(川崎重工業株式会社提供)

して進められています。

水素をつくる、運ぶ、利用する、というサプライチェーンの構築をめざすこのプロジェクトでは、水素を電力に変えるため水素発電を利用しています。

オーストラリアから運ばれてきた液化水素は、神戸空港島の荷揚基地で荷揚げされたのち、150トンの大型タンクに貯蔵されます。この水素を、小型の発電装置で燃焼させ、ガスタービンを回すことで電力に変換。近隣のスポーツセンターや国際会議場などに供給しています。最大限に稼働すれば、約1万人が働くオフィス街の電気量を賄える規模ということです。

また、発電する際に発生する熱エネルギーも回収して利用する、コジェネレーションシステムになっています。

このプロジェクトの注目すべきポイントは、使用する水素発電が、天然ガスと水素の混焼ではなく、水素専焼をめざしているというところです。計画では、天然ガス8割、水素2割から実証を開始し、徐々に水素の比率を高めていくというものでしたが、2018年の早い段階で水素100％の水素発電に移行し、電気と熱をつくり出すことに成功しています。水素100％の水素発電は、日本初となります。

## 「オリ・パラ選手村」の本格的水素インフラとは

もうひとつ、東京五輪・パラリンピックにおける取り組みをご紹介しましょう。

東京五輪・パラリンピックの聖火やトーチの一部に燃料として水素が使われていたことは、ＣＭなどでご存じの方も多いでしょう。

また、関係車両約５００台に燃料電池車を導入し、期間中はグリーン水素で走らせるなど、サステナビリティを意識した大会としてアピールしています。

期間中、選手村として使われたエリアは、２０２４年を目処に「ＨＡＲＵＭＩ ＦＬＡＧ」として分譲・賃貸される予定ですが、ここでも水素エネルギーが導入されます。

都心までの足となるＢＲＴ（バス高速輸送システム）や路線バスには燃料電池車を導入予定で、そのための水素ステーションを開発地区近くの都有地に整備します。この水素ステーションから地下パイプラインを使って各街区に水素を送り込み、大型燃料電池で各棟共用部や商業施設に電力と熱を供給することになっています。

すでに地下パイプラインは敷設《ふせつ》済みで、国内初の本格的な水素インフラを備えた街になる予定です。

このように、安価な水素を大量に調達するためのグローバルな実証実験と、暮らしの仕組みのなかで活かすためのローカルな実証実験がそれぞれ進行しています。

環境省が主導する8つのプロジェクトは、いずれも各地域内で完結するような地産地消的なものですが、これにとどまらず、同じローカルでも、もっとグローバルに対応できるようなサイズの〝ローカル〟があるべきだとわたしは考えています。ただしそうなると投資額も大きくなるので、参画企業も経営判断が難しくなるかもしれませんが、日本全体として水素社会の仕組みを構築していくには、どうしても必要なステップだと考えます。

# 7章 世界の水素利用はどこまで進んだか

## ドイツで進む「水素のキャリア利用」とは

世界の情勢を見てみると、水素への取り組みがもっとも進んでいるのは、ドイツでしょう。

ドイツでは原子力発電を2025年までに終了することを早々に決定していますから、再生可能エネルギーの活用に力を入れているのです。

ヨーロッパでは、もともと石油や天然ガスのパイプラインが発達していて、国境を越えてエネルギーを輸送してきた蓄積があります。ドイツ国内にも、パイプライン網が張り巡らされていて、これが水素エネルギーの普及にも利用されています。

ドイツでは北部の沿岸部で洋上風力発電が盛んです。一方で、電力の消費は南部の工業地帯が多くなっています。そこで、北部で発電したエネルギーを、南部の工業地帯に運ぶ必要があるのですが、高圧送電線の敷設が遅れているため、天然ガスのパイプラインに混入する、という方法を採用しました。

北部地域の風力発電で得られた電力は、昼間は通常の系統網に送って消費されます。しかし、夜間など電力需要が少ないときには、余った電力を水素に変換し、メタンガスのパイプラインに混入してドイツ全土に供給しています。

この、水素とメタンの混合ガスは、ハイタン（ハイドロジェン＋メタン）という名称で、都市ガスとして消費されています。

こうしたパワー・トゥ・ガス（P2G）の複数のプロジェクトが進行しています。

## フランスが計画している「水素タウン」とは

フランスでは、2018年に水素普及計画を発表し、3つの優先分野を示しました。

1、工業分野での経済合理的な$CO_2$フリーの水素利用

2、燃料電池車両（自動車・大型車、船舶、鉄道、飛行機）の普及

## 3、再生可能エネルギーの安定供給のための水素の活用

これらの施策に毎年1億ユーロを投じるとしています。

フランスのマクフィ・エネルギー社が、マグネシウムベースの合金混合物に水素を吸蔵させる技術を使った貯蔵技術を開発して、商用化しています。

マクフィが開発したのは、直径20センチメートルほどの円盤で、マグネシウムをベースにカーボン、チタン、バナジウムなどが入った合金です。この円盤ひとつに、約60リットルの水素を貯蔵することができます。これをタンクに大量に格納することで、大量の水素を貯蔵することができます。

しかも、水素吸蔵合金ですから、ガスを超高圧に圧縮したり、超低温にしたりする必要もありません。取り扱いが楽で、コストがかからない。ただし、水素を取り出すのに300℃ほどの熱源を必要とする欠点が克服されていません。

マクフィはこの技術を中国に提供して、中国で、水素タウンの実証実験をしようとしています。コミュニティ全体のエネルギーを水素で賄おうというもので、日本のトヨタが進めるウーブンシティ（静岡県東部に計画されている未来的な実験都市）の水素版のようなものです。そこにこの技術が導入されています。

この技術は将来性があると思うのですが、なぜか、他に追随するところが出てきていません。

## イギリス・スコットランドで進む、風力発電との組み合わせとは

イギリスはかつて全発電量のうち石炭による火力発電が40%を占めていましたが、近年は脱石炭化が急速に進んでいて、再生可能エネルギーの比率が増えています。

イギリスは天候に恵まれた地域ではないので太陽光発電にはむいていません。そこで風力発電に力を入れていて、いまや世界一の技術力を誇るまでになっています。

水素エネルギーの利用について、イギリス全体で見れば、あまり進んでいるとはいえません。

しかし、風力発電の余剰電力を水素にして貯蔵することで生活に活かしている地域もあります。

たとえば、スコットランドのオークニー諸島。かつては、島外から電力を購入していましたが、風力発電を導入したことによって、逆に余剰が出るようになりました。これを電解によって水素に変換し、船舶の電源などに利用しています。

供給が安定しない風力発電と、形を変えて貯蔵できる水素は相性がいいので、今後、イギリスでも水素の利用は広がるのではないかと思います。

## アメリカ政府が「水素プログラム計画」を構想する背景とは

アメリカのエネルギー供給については、いま、コネクト&マネージについての議論が活発です。

コネクト&マネージとは、送電システムをとにかく全部つなげて巨大なネットワークにしてしまおうという発想です。そのなかには大小いくつもの発電施設が接続されているので、それらの電力をまとめて制御する（この機能をVPP：バーチャル・パワー・プラントといいます）ことで、全域の電力供給を賄うことができます。広域のネットワークでは、必ずどこかで発電システムが稼働しているはずなので、エネルギーの貯蔵について考慮しなくても安定供給が可能になるということになります。

アメリカでは、テキサス州が風力、太陽光ともに開発が進んでいて、地平線まで続くような一面の太陽光パネルで膨大な電力を生成しています。

この自然エネルギーを、アメリカ全土に供給するために、膨大な費用をかけて送電線網を整備すべきか、それとも、むしろコミュニティ単位のマイクログリッドで小規模な太陽光発電などをつないでいくのか、議論が分かれているのが現状です。

この問題、つまりエネルギーの輸送が長距離になる場合は、送電線と水素パイプラン、どちらが効率がよいのか、という問題については、実は1975年に結論が出ているはずです。

ボックリスが計算したところによると、500マイル（約800キロメートル）を超えると送電線よりもパイプラインのほうが有利なのだそうです。つまり、テキサスの周辺だけなら送電線でよいのですが、アメリカ全土となると水素パイプラインのほうが効率がよいはずです。

こうしたコネクト&マネージの議論を進める一方で、近年、積極的な水素政策を打ち出しています。

2019年に、企業が主体となるFCHEA（燃料電池・水素エネルギー協会）が「アメリカ水素経済へのロードマップ」を発表し「低炭素型エネルギーミックスを実現するためには、水素は不可欠」と主張。これを受けて、DOE（米国エネルギー省）は2020年に「水素プログラム計画」を発表し、水素の生産、貯蔵・輸送、使用を強力にバックアップしていく方針を示しています。

将来的には、コネクト&マネージのネットワークに、水素も重要なエネルギー源として組み込んでいくことを構想しています。

## 中東諸国が水素やアンモニアに注目する理由とは

「サウジアラビアのアンモニア」の項（151ページ）でも述べましたが、世界的な脱炭素化の動向を見据えて、中東諸国でも石油依存から脱却、再生可能エネルギーへの関心が高まっています。

サウジアラビアでは、再生可能エネルギーを一次エネルギーとした〝グリーンアンモニア〟および$CO_2$フリー水素を製造する、世界最大規模のＰ２Ｇ（パワー・トゥ・ガス：余剰電力を水素に変換する）施設の建設が予定されています。

中東は、広大な砂漠があり太陽光も風力も豊富に利用できるので、石油に代わる新たなエネルギーとして開発に注力しているわけです。

サウジアラビア政府は国家プロジェクトとして、デジタル技術を駆使したスマートシティＮＥＯＭの建設を進めていますが、今回のＰ２Ｇ施設はそのなかでも重要なプロジェクトとなりそうです。

また、アラブ首長国連邦（ＵＡＥ）のドバイでも、グリーン水素の製造施設の建設が進められています。

## 中国が燃料電池車をはじめ、水素に注力する事情とは

中国は$CO_2$の排出量が世界の３割を占めていて、その削減が課題となっています。これまで電気自動車（ＥＶ）の普及や太陽光発電の推進に力を入れてきましたが、近年、水素にも積極的に取り組んでいます。

燃料電池車（ＦＣＶ）は、販売補助金制度などの政策で普及が急速に進んでいます。２０１８年にすでに日本の普及台数を抜き、２０２０年末には７２００台と、日本の約１・５倍に達しています。中国でのＦＣＶは、ＭＩＲＡＩのようなパーソナルユースの乗用車はほとんどなく、長距離トラックや路線バスが大半です。２０２０年には、燃料電池で走るトラム（路面電車）も導入されています。

また、２０２０年には、北京市に「北京大興国際水素エネルギーモデル地区」を設置し、水素エネルギーのインフラを整備するなどして、国内企業の技術力の育成にも力を入れて

います。

## 韓国が進める水素政策の課題とは

韓国では、2020年に大統領直轄の水素経済委員会を創設するなど、水素政策に力を入れています。

2022年から、電力事業者に対して水素で生産された電力を一定割合以上購入することを義務付ける制度を、世界で初めて導入するなど、法整備も進んでいます。

韓国では燃料電池車（FCV）の普及が進んでいて、ヒュンダイが生産するNEXOは、世界市場でトヨタMIRAIとシェアを争っています。

一方で、水素ステーションなどのインフラが整備されていないという課題もあり、今後は、再生可能エネルギー由来のグリーン水素技術の推進を支援するなど、安定供給をめざしていく方針です。

いま、世界の各国でそれぞれ「水素社会」を思い描いているわけですが、そのビジョンは当然のことながらそれぞれ異なります。十分な量の再生可能エネルギーを自国内で調達するのが難しい日本は、海外から輸入することが前提になります。逆に、ヨーロッパでは再生可能エネルギーの普及が進んでいますし、価格も安くなっていて、輸出も考えています。今後は技術提携なども含めて、国際的な交渉力が試されていくことになるでしょう。

# 終章 2030年、エネルギー革命への道

## いま起きている、水素の評価の地殻変動とは

2019年6月28・29日、「G20大阪サミット」が開催されましたが、実はこの2週間前の6月15・16日、軽井沢でも「G20」が開かれていました。こちらは「G20持続可能な成長のためのエネルギー転換と地球環境に関する関係閣僚会合」というもので、環境問題とエネルギーについて話し合う、国際会議です。

ここでも水素は、いくつかの閣僚レベルのセッションの議題に取り上げられました。また、同時に開催された「地球へ社会へ未来へ G20イノベーション展」では、日本を代表する企業が何社も出展して、これはもう万博ではないかと思うくらい、壮観な眺めでした。

まさに日本の水素に関する最新技術が集結している、それぞれが競い合うというよりも、協力し合って未来のほうをむいている、そんな感じがしました。

この高まりは2020年10月14日の水素閣僚会議でも引き継がれていて、閣僚セッションに続いてリモートでおこなわれた各企業のプレゼンテーションでは、トヨタの内山田竹《うちやまだたけ》志《し》会長自らが水素エネルギーについて熱く語られるなどして、なにか地殻変動のようなものがはじまっていることに気づかされました。

いま、地球環境のことを考えると、企業や個人の損得を超えた視点で考えていかないといけないのだろうと思います。

水素はビジネスになるからやる、ではなくて、未来の「水素社会」というものをどう捉えるか、です。それを実現したい、実現すべきだと思ったら、やる。いま、水素に関わっている企業は、みな、そうした思いで研究開発を進めているはずです。

コロナ禍で経済の停滞が続いています。2020年の4月の最初の緊急事態宣言が出された際には、「不要不急の××」は自粛するように、と盛んにいわれました。この頃、水素研究者の間でも「水素も不要不急といわれるんじゃないか」と、半分冗談で言い合っていたものです。

そんな先のことを考えてどうするんだ、そんなものは後回しにしたらどうだと。ところが、そんな空気はいっさい出てきませんでした。どうしてなのかわかりませんが、むしろ順風が吹いてきた。水素でやるしかないんじゃないか、という機運が高まってきていると感じます。

## 水素社会実現に向けて、何が必要か？

技術はもう出揃っているのです。水素社会を実現するための、技術はもうできているのです。

政府の水素基本戦略（２０１７年）では、２０３０年を目安に、具体的な数値目標を設定しています。現在進行しているグローバルサプライチェーンの実証実験が順調にいけば、当時の政府目標を達成することは可能だろうとわたしは思っています。

その意味では、水素社会はもう〝理想の未来像〟などではなく、「すでに背中が見えるところまできている」といえるのではないでしょうか。

後は、それをどのように実現していくのか。いま、必要なものはビジネスプランです。どんなビジネスが構築できるのか、採算ベースで継続できるのか、そのビジネスプランさえあれば、前へ動きだすはずです。

それは、わたしたち科学者だけではできないかもしれません。むしろ、ビジネスのマインドをもった、わたしたちとは違うタイプの人たちといっしょに進めていくべきだろうと思っています。

研究室で数値を計算しているだけでは、社会を動かしていくことはなかなか難しいものです。もっと大きな流れをつくること、もっと先を見据えたビジョンが見えているかどうかが、いま、問われているような気がします。

技術的な〝駒〟はぜんぶ揃っている。役者は揃っているのに、脚本がない。それがいまの状態です。

ビジネスの視点からプランを描き、それを細かく検証するなかで、なにか新しい課題が出てきたとしても、それは、いまある技術で解決できるはずです。もうテクノロジーの問題ではないのです。

## $CO_2$を化学原料として再利用するのは良案か?

いま、時代の流れはカーボンニュートラルです。$CO_2$排出をいかに抑えるかが、全地球の課題です。

そこで、$CO_2$が発生しても排出しないで、化学原料として利用しようとする試みが続けられています。しかし、これがどうも化学者として腑《ふ》に落ちないのです。

化石燃料をエネルギーに変換すると、どうしても$CO_2$が発生します。それをまた、化学物質に変化させて使おうとするのは、わたしにはエネルギーがもったいないような気がします。

$CO_2$にしてしまうと、また化学反応で別の物質に変えるためには、大きなエネルギーを投入しなければなりません。それなら、$CO_2$にするまえに利用する方法を考えたほうがいいのではないかと考えます。

化学原料というものは、$CO_2$からつくるよりも、石油から直接つくったほうが簡単です。たとえばエチレン（$C_2H_4$）などもそうです。エチレンプラントは、典型的な化学プラントで、さまざまな用途に使われます。それに酸素（O）がつくと、エタノール（$C_2H_5OH$）になったりメタノール（$CH_3OH$）になったりします。さらに炭素（C）がつくとプロピレン（$C_3H_6$）になります。化石燃料は、$CO_2$にしてしまう前にもっと効率的に利用できるのではないか、というのがわたしの仮説です。

わたし自身、高校のときに石油の蒸留について勉強しました。もっとも軽いのがメタン（$CH_4$）で、次第にカーボン（C）が多いものになり、オクタン（$C_8H_{18}$）が出てきます。さらに蒸留していくと、軽油の成分やピッチ成分（黒い樹脂の残油）が出てきて、最後にアスファルトが残る。そのアスファルトは道路の舗装に使われる――。そんなふうに教わりました。

当時は、まだそれほどクルマ社会ではありませんでしたが、その後、クルマが普及しはじめると、アスファルトのような重いものをそのままにしておかないで、分解し（これをクラッキングといいます）、オクタンのような、要はガソリンにして使うようになります。

そのような形で、化学プロセスは変化するのです。昔はこうだったけれども、いまはこう、というふうに。

ですから、化石燃料は同じでも、それをどう精製・加工するかはニーズによって変わっていくはずです。これからは、どういう中間品をつくっていくのか。たとえばプラスチックに特化したプロセスにしていくのか。これから先、電気自動車や燃料電池車が普及していくとガソリンはそれほど必要なくなるはずですから。

高校生だった当時は、まさか化学がそんなに変わっていくものだとは思っていませんでしたが、未来永劫《えいごう》不変のものではない、ということが、いまはわかります。現に、石油会社は製油所の施設を徐々に減らしつつあるという現実があります。

水素社会というものも、時代のニーズとともに変わっていく、社会のひとつの形なのではないでしょうか。

## いかにして技術的革新を起こすか？

水素社会の実現にむけて、もしもこれからブレイクスルーがあるとしたら、それはわたしたちの予測を超えたセレンディピティ（偶然の発見）のようなものが必要だと思います。

実は、わたしたち物質・材料研究機構のチームが磁気冷凍の研究を進める過程で、こんな出来事がありました。

磁気冷凍では、磁性体にどんな物質を使うかで、冷却の効率は大きく変わってきます。スピンが揃っているときとバラバラのときとの差、これをエントロピー変化といいますが、このエントロピー変化が大きいほど、冷却効率がよいということなのです。

そこで、この磁気冷凍の磁性体に適した物質を探し出すために、ＡＩ（人工知能）を使ってみることにしました。候補となる物質は膨大にあります。そのなかから、人間が考えて見つけようとすると、物質の背景など、どうしても先入観にとらわれてしまいがちです。そこで、AIで機械的に探し出せば、人間が気がつかない新しい解が見つかるかもしれない、と考えたのです。

まず、すでにエントロピーがわかっている1600以上の物質の情報を記憶させ、AIに学習させせます。次に、エントロピーがわかっていない800の物質の組成をAIに読み込ませて、エントロピーを予測させたのです。

その結果、AIが見つけ出した物質が、二ホウ化ホルミウム（$HoB_2$）。原子番号5のホウ素（B）と、ホルミウム（Ho）というレアメタルの化合物でした。

さっそく、これを合成して調べてみると、たしかに最適でした。しかも、実際の数値は、AIが予測したよりも2・5倍も優れたものだったのです。

「これはまさにセレンディピティだ」と、長年この研究に携わってきた研究者も驚いていました。

AIがきっかけをつくってくれたけれど、それだけではありません。現実の世界にはそれ以上のなにかがある、そう思える瞬間があるから、科学はおもしろいのです。

## ブレイクスルーを起こしやすい水素の特殊性とは

水素とは長年の付き合いになりますが、数ある元素のなかでも、それだけ研究しがいのある対象です。

水素と相互作用しないものはないのではないかと思うくらい、さまざまなものと相互作用します。ある意味、無理やりにでも相互作用するようにも見えます。

たとえば、ヘリウムやアルゴン。これらは安定した元素ですから、相互作用することはないだろうと思う人もいるかもしれませんが、ある特定の比率で混合して真空中に放出し、電子を照射すると、水素のネットワークのなかにこれらの元素を囲い込むような形で取り込んでしまう。水素は、そういう不思議な振る舞いをします。

水素の貯蔵にしても、液化水素と水素吸蔵合金では、同じ体積でも後者のほうがたくさん入るのです。つまり、同じ空間を液化水素で満たすよりも、水素吸蔵合金で満たして、そのなかに水素を吸わせたほうが、より多くの水素を貯蔵できる。これは直感で考えると、どうにも不思議な感じがします。空っぽの空間に液体で入っていくよりも、金属の隙間の狭いところに入っていくほうが、トータルとして多いのですから。

実はこれは原子と分子の違いで、水素の分子はお互いが避け合っていて空間を上手に使えないので、ぎっしり入れたつもりでもまだ隙間がある。しかし、原子になると、狭いところでも上手に入り込んでいって、その結果、よりたくさん入るという、変わった性質があるのです。

このような性質があるのは、おそらく水素だけでしょう。

もうひとつ、こんな現象もあります。

チタンと水素が反応すると水素化チタン（$TiH_2$）という物質ができます。このチタンの一部を鉄に換えると$FeTiH_2$という組成の物質ができます。このふたつの物質の扱いやすさを比べてみると、$TiH_2$から水素を取り出すときには、９００℃という高温が必要です。しかし、$FeTiH_2$なら約50℃。少し温めてあげれば水素が出てきます。扱いやすさに大きな違いがあります。

これと同じようなことを、マグネシウムでやってみたらどうなるか。マグネシウムと水素で水素化マグネシウム（$MgH_2$）という物質ができます。この一部をニッケルに換えると$Mg_2NiH_4$という化合物になります。

$MgH_2$から水素を取り出すのに３００℃ぐらい必要ですが、チタンのときのように、

$Mg_2NiH_4$にしたらもっと扱いやすくなるのではないか、そう思ってやってみたら全然下がらない。250℃くらいは必要で、扱いやすさはほとんど変わらないのです。

これはなぜかというと、ニッケルとくっついて$[NiH_4]^{4-}$という錯《さく》イオン（中心の金属原子を配位子、この場合は負に帯電した水素原子$H^-$、が取り囲んでできたイオン）の形になっている。$FeTiH_2$の場合とは水素の形が違う、だから、合金の性質も違うわけです。

このように、水素はいろいろな形になります。いちばん多いのはプロトン（$H^+$）ですが、$H^-$になったり錯イオンになったりする。これだけいろいろあるので、研究するほうもなかなか一筋縄ではいかない、というのが水素です。それでも、もう長年やってきましたから調べ尽くしたのではないかと思っていますが、科学をやっている人間としては、「もうこれ以上はない」とはいえません。まだ、水素には知られていない意外な性質があるかもしれません。

## 「化学」が成果を上げるためのスタンスとは

いま振り返ってみると、わたしが長年にわたって携わってきた「化学」というものは、なにか絶対の真理を追究するよりも、つねに社会に目をむけて、そこから導き出される課題にその都度応えようとするものなのではないかと思います。

それはわたしが中学・高校とミッションスクールで学んだことと関係があるような気がして仕方ないのです。

わたしの学校はベルギーのカトリック系で、わたし自身はキリスト教徒ではないのですが、6年間、外国から来た神父さんたちにさまざまなことを教わりました。そのなかで覚えているのは、この世の中に存在するものには必ずなにか役割がある、ということです。それなら自分の役割はなんだろうか、自分はいったいどんなことを成すように運命づけられているのだろう、そう考えるようになりました。

もちろん、そんなに難しい言葉で考えていたわけではないのですが、自分にも方向性があるように、人にも方向性がある、だから、人のすることを全否定しない、相手の立場を認める、そういうことを6年間で習ってきたような気がします。

だから自分が、研究の過程で、こうでなければならない、ということがたしかにあるのだから、それに対して、いろんな人がいろんなことをいう、それは認めよう、ということです。

豊橋技術科学大学にいたときに、水素エネルギー協会が発行する季刊誌の編集委員長となり、日本大学へ移籍してからも継続して、つごう6~7年、編集委員会を切り盛りしました。これは貴重な体験でした。

協会には、企業や大学などさまざまな立場の人がいます。なかには、わたしがやっているる水素吸蔵合金についても、「実用化なんてできるわけがない」という立場の人もいるわけです。

そんなさまざまな人の声をまとめて一冊にするというのは、なかなか難しいものだと実感しました。それでも、自分がすっぱりと決めてしまうのではなく、みんなで集まって話をして、まとめていく、それが良かったと思います。

## 意見の違いを乗り越えて、未来を開くために

最近よく思うことは、研究というものは必ず失敗するものだということです。広く、科学をやっている人間なら誰しも、それぞれ失敗の経験があるのです。

たとえば、こういう合金をつくったら必ずこういう性質になるはずだ、と思って実際につくってみると、たいていは外れます。だから、自分が主張して研究していることが、さあ、どのくらい成功するだろうか、という思いがつねにあるのです。

だから、意見が食い違うことがあっても、それは違うよ、と否定するのではなくて、そうか、じゃあ実験してみよう、ということになります。

科学というのはそういう人の集まりです。日々、研究開発に携わっている人の集まりです。だからそれがわかる。意見が違っているけれど、それは最初の情報が違うからじゃないか、いや、こういう実験をやればもっとちゃんとわかるはずだ、ということが次々と出てくるのです。

だから、人の意見や、不都合な結果に目をつぶらない。それにちゃんと目をむけることが大事です。

自分は真理を追究する、そんなふうにいえるといいのですが、わたしはあまりそういうふうには思っていないところがあります。

いま、磁気冷凍の研究で物理学系の研究者と会うことも多いのですが、物理の人はむしろ「真理を追究する」タイプが多いと感じます。わたしはそこで、やっぱり自分は化学だなと思うのです。

化学は、一言でいうと多様性です。それぞれの材料、物質の特徴を活かすのが化学です。それに比べると物理は、共通するひとつの原理にたどり着こうとする。そこがだいぶ違います。

化学は英語でchemistryですが、これは親和性という意味もあります。多様性と親和性、それが化学です。

だからといって、物理の人を否定しようとは思いません。考えの違う人といっしょになにかをする、というのは面白い体験です。楽しめます。

水素が社会をどう変えていくのかわかりませんが、その変化もまた、楽しみにしています。

[カーボンニュートラル] 水素社会入門

2021年9月20日　初版印刷
2021年9月30日　初版発行

著者◉西宮伸幸

企画・編集◉株式会社夢の設計社
東京都新宿区山吹町261　〒162-0801
電話 (03)3267-7851(編集)

発行者◉小野寺優

発行所◉株式会社河出書房新社
東京都渋谷区千駄ヶ谷2-32-2　〒151-0051
電話 (03)3404-1201(営業)
https://www.kawade.co.jp/

DTP◉アルファヴィル

印刷・製本◉中央精版印刷株式会社

Printed in Japan　ISBN978-4-309-50428-5

落丁本・乱丁本はお取り替えいたします。
本書のコピー、スキャン、デジタル化等の無断複製は著作権法上での例外を
除き禁じられています。本書を代行業者等の第三者に依頼して
スキャンやデジタル化することは、いかなる場合も
著作権法違反となります。
なお、本書についてのお問い合わせは、夢の設計社までお願いいたします。

河出書房新社

# 心は病気
## 悩みを突き抜けて幸福を育てる法

アルボムッレ・スマナサーラ

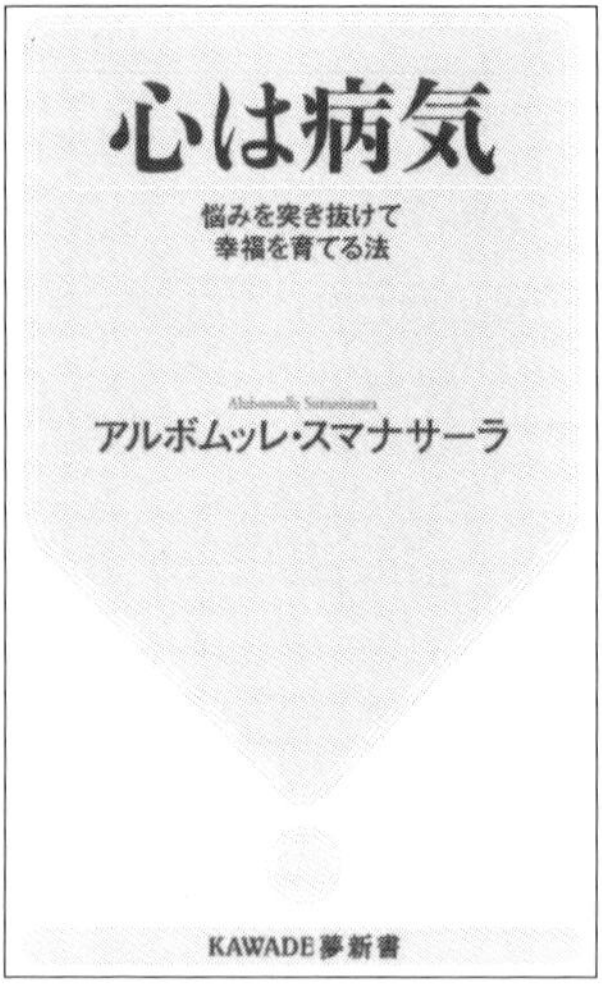


スリランカ初期仏教長老が説く
自粛・我慢の世の中で
怒り、怯え、とまどう心
を強くする
ブッダの知恵！